Christoph Mäckle

Editorial Gustavo Gili, S.A.

08029 Barcelona Rosselló, 87-89. Tel. 322 81 61
México, Naucalpan 53050 Valle de Bravo, 21. Tel. 560 60 11

Christoph Mäckler

Introducciones / *Introductions*
Kenneth Frampton / Kristin Feireiss

GG®

Catálogos de Arquitectura Contemporánea
Current Architecture Catalogues

A cargo de/*Editor of the series*
Xavier Güell

Traducciones/*Translations:* Santiago Castán, Jordi Siguán, arqtos.

El texto con excepción de las introducciones, es de Christoph Mäckler
The text, with exception of the introductions, is by Christoph Mäckler

Printed in Spain
ISBN: 84-252-1630-3
Depósito legal: B. 14.320-1995
Impresión: Grafos, S.A. Arte sobre papel

Índice

Contents

Tradición e innovación en la obra de Christoph Mäckler

Kenneth Frampton

Tal vez, sobre todo por asociársele al de innovación, el concepto más tergiversado ahora sea el de tradición. En la época, la nuestra, de los medios de comunicación, cuando la tradición, incluida la tradición de lo nuevo, se tacha de *retardataire* y al neovanguardismo se le glorifica como garante del *dernier cri,* el mito de la vanguardia se resiste a morir. De momento, son pocos quienes optan por reflejar que origen viene de original o que esa "novedad" en peligro no es, ni con mucho, tan flamante como lo fuera en las dos primeras décadas de este siglo. Con el arribo del posmoderno en su modalidad antimoderna se complica el malentendido respecto a la tradición, porque si unos la niegan, otros le aplican un sello historicista. Además, salvo la ciencia en su progreso hacia la infinitud de la naturaleza, de todos es sabido que nada carece de un precedente. Nunca, incluso en la arquitectura, esta afirmación es más cierta, pues las costumbres institucionales prenden esta idea en las contingencias del presente y en las disponibilidades del pasado.

La tradición, vinculada etimológicamente al "comercio" y a la "traición",[1] propaga sin fin su feraz laberinto de interpolinización, ocurriendo que el tránsito de una a otra, y viceversa, apenas es perceptible. Sabemos que tras Grecia se esconde Egipto, que China conforma Japón y que, en definitiva, todo está contaminado. La articulación de una tradición se supedita a que se cultive con asiduidad; debe seguirse cual hilo de Ariadna, frágil y enigmático, pendientes de que para mantenerse con vida pide, nada menos, una reinterpretación constante. Seguramente Igor Stravinsky pensaba así cuando escribió que en el plagio cae quien no sigue la tradición; de ahí la feliz noción de *répétition differente* que fraguó Roland Barthes.

Tenemos que reconocer, sin olvidar el desastre alemán, que cuando se rompe una tradición viva es muy difícil recuperarla. Con fe ciega y mendaz puesta en el claro destino de la ciencia–tecnología dejamos casi de ver que la violencia sin parangón generada por la guerra moderna no sólo produce la destrucción a gran escala de la salud y la vida, sino que su feroz embestida derriba la tradición y borra a su paso todo rastro de la misma. Tan difícil de engendrar y tan fácil de arrasar, cuando se agota la cultura es casi imposible de recobrar. Con rotundidad pesimista dijo Ludwig Wittgenstein en una ocasión: "Lo que se rompe en pedazos, así se queda."

La obra creativa de Christoph Mäckler, en su discurrir del presente al pasado y vuelta al presente en pos de la tradición perdida a la que sin duda pertenece, trae a la mente es-

Tradition and Innovation in the Work of Christoph Mäckler

Kenneth Frampton

There is perhaps no notion that is so misrepresented today as that of tradition, particulary as this has been reciprocally linked to innovation. The myth of the avant garde dies hard, especially in our media age where tradition, including the tradition of the new, is largely dismissed retarditaire *while neo-avantgardism is celebrated as the guarantor of* le dernier cri. *Few choose to reflect for an instant that the idea of origin lies at the root of the word original or that the "newness" at stake in no longer as new as it once was in the first two decades of this century.With the advent of the post modern mode, this misunderstanding about tradition has been compounded further, for it is now either historicized or denied according to one's prejudices. At the same time we all know that, save possibly for science as it advances even further into the infinity of nature, nothing is entirely without precedent. This is never more true than in architecture where institutional mores enmesh the subject not only in the contingencies of the present but also in the availabilities of the past.*

And yet with its etymological links to "trade" and "betrayal", tradition endlessly proliferates its fertile labyrinth of cross-pollination where one tradition passes almost imperceptibly into the next and vice versa. Thus we know that Egypt lies behind Greece and China informs Japan; and that all is ultimately contaminated. Thus the articulation of a tradition depends upon its assiduous cultivation. It has to be pursued, as it were, like Ariadne's thread; at once fragile and enigmatic, demanding nothing less than constant reinterpretation in order to remain alive. Surely this is what Igor Stravinsky had in mind when he wrote that he who does not follow tradition falls into plagiarism; hence Roland Barthes' felicitous notion of rèpètition differente.

In all this, we need still to acknowledge, with the German catastrophe in mind, that once a living tradition has been broken it is extremely hard to recover. In our blind misguided faith in the manifest destiny of techno-science, we would rather not see that the unparalleled violence of modern warfare has not only destroyed human life and wealth on a vast scale, but that tradition has also fallen victim to its onslaught which has annihilated all traces of tradition on its path. Difficult to engender and all too easily destroyed, culture once desiccated is all but impossible to restore. As Ludwig Wittgenstein once put it, with pessimistic finality, "What is torn, must remain torn."

Much of this is brought to mind by the work of Christoph Mäckler as he passes from the present to the past and back

tas reflexiones. En la búsqueda de una clave paralela nos vemos abocados a la antología prevanguardista, *Junge Baukunst in Deutschland,* escrita en 1926 por Hermann de Fries, aunque sólo sea para rescatar del pasado ignorante la herencia de una era perdida. Las figuras brotan de todas partes y componen una letanía de arquitectos inteligentes cuya obra ocupa algún lugar de un itinerario cultural que abarca, por así decirlo, desde Paul Bonatz a Hans Scharoun en los extremos derecho e izquierdo respectivamente del arco. Pero, ¿cómo hicimos para borrar tan pronto de la historia los cuantiosos logros conseguidos por Kurt Frick, Heinrich Kosina, Wilhelm Riphahn, Karl Schneider, Emil Fahrenkamp e incluso por el mismo De Fries, por citar sólo algunos arquitectos de esa olvidada generación? A esta lista debe añadirse otra, extraída de un espectro más conocido, integrada por personalidades como Peter Behrens, Hans Poelzig, Fritz Höger, Hugo Häring, Erich Mendelsohn, etc. Aunque la malla de la red se haya agrandado, las piezas siguen donde estaban, nadie ha recogido desde 1945 la tradición alemana y casi medieval de las *Grossbauformen,* excepción hecha quizás de Ludwig Leo y de las potentes formas macizas de obra que ofrecen las primeras producciones de O.M. Ungers. Por contra, donde se realizaron, pronto se abandonaron a causa, es de suponer, del profundo sentido de culpabilidad que desde el fin de la guerra acompaña a Alemania en lo monumental.

Con éxito variable Mäckler renegó de este tabú, y haciéndolo halló un camino de retorno que, si no le condujo exactamente a las *Grossbauformen*, sí le llevó a un género de expresión relacionado con las mismas, tal como se observa en su propuesta urbanística para el sector Osthafen de los muelles de Frankfurt am Main, elaborada a raíz del encargo que en 1993 le hiciese el DAM. En este trabajo, conscientemente o no, retoma las morfologías megaurbanas que proyectó De Fries. Entonces, los "pasillos visuales" que cruzan los volúmenes perimetrales de algunas plantas lindantes con el río nos recuerdan que esta reconsideración de la tradición no evoca únicamente a De Fries, sino que también evoca la tipología de bloque que Ernst May brindó en *Das Neue Frankfurt.*

Como tantos otros, atrapado entre el Expresionismo y el Racionalismo (y, en sus comienzos, la facción decadente de la Tendenza italiana), Mäckler se ha acercado a tradiciones distintas de las *Grossbauformen,* entregándose de vez en cuando a la modalidad de Neoclasicismo tardío emparentado con la herencia de Albert Speer. Valga de ejemplo un proyec-

again, in search of the lost tradition to which he indubitably belongs. In pursuit of a parallel key one finds oneself drawn to Hermann de Fries's pre–avant garde anthology of 1926, Junge Baukunst in Deutschland, *if only to recover from a benighted past, the legacy of a lost era. Figures arise on every side to make up a litany of talented architects whose work lies somewhere along cultural trajectory, extending, let us say, from Paul Bonatz on the right to Hans Scharoun on the left. How did we come to erase so readily from history the multiple achievements of such architects as Kurt Frick, Heinrich Kosina, Wilhelm Riphahn, Karl Schneider, Emil Fahrenkamp and even de Fries himdelf, to mention only some of this forgotten generation? To this one must add of course a whole series of related names drawn from a more familiar spectrum; men such as Peter Behrens, Hans Poelzig, Fritz Höger, Hugo Häring, Erich Mendelsohn etc. The net thus becomes wider but the line is still essentially there, for this is the late, quasi-medieval German tradition of* Großbauformen *rarely picked up since 1945, save perhaps for Ludwig Leo or the strong masonry mass-forms evident in the early work of O.M. Ungers. Otherwise where touched on it has been promptly dropped, presumably out of an all pervasive sense of guilt that has attended the monumental in Germany since the end of the war.*

With varying succes Mäckler has consistently repudiated this taboo and in so doing has found his way back, if not to Großbauformen *exactly, then certainly to an expression that is closely related as we may judge from his proposition for the development of the Osthafen section of the Frankfurt docks, commissioned by DAM in 1993 as a demonstration project; a work that consciously or otherwise harks back to similar mega-urban forms projected by de Fries. And yet the "view corridors" cut through Mäcklers low-rise perimeter blocks lining the river serve to remind one that this re-working of the tradition harks back not only to de Fries but also to the block typology of Ernst May's* Das Neue Frankfurt.

Caught as others have been before him between Expressionism on the one hand and Rationalism on the other (and in particular in his early work by the regrettably decadent wing of the Italian Tendenza), Mäckler has been drawn to traditions other than the Großbauformen *and above all, on occasion, even indulging in a brand of latter–day Neoclassicism lying close to the legacy of Albert Speer, particularly in his Lindecorso project for Berlin, dating from 1992. At other times he has gravitated towards a monumental syntax that seems to be rooted in*

to de 1992, el centro cultural y comercial, para el Lindencorso berlinés. En otras ocasiones ha preferido emplear una sintaxis monumental enraizada, al parecer, en la dinámica traza neocorbusiana que los hermanos Vesnin pusieron muy de manifiesto en 1927 en la Biblioteca Lenin. Cabe pensar que a esta obra hizo Mäckler referencia en el proyecto que presentó en 1992 al concurso del Centro de Enseñanza Philipp–Holzmann para la ciudad de Frankfurt am Main. La propuesta consistente en un edificio de gran fachada semejante a las del concurso para la sede del Frankfurt Stadtreinigung o de la escuela en Berlín–Hellersdorf, ambas de 1993, es una *Grossbauform* articulada y revitalizada con un rigor racional–constructivista que nunca fue ingrediente de esa tradición.

A pesar de la audacia y fuerza exhibidas en estos proyectos, Mäckler está limitado por ahora a hacer las minúsculas intervenciones urbanas que durante los últimos diez años viene llevando a cabo en Frankfurt am Main. No puedo menos que recordar aquí la estación de superficie de la U–Bahn, construida en 1992 en Frankfurt am Main, como también la central rectificadora y el almacén de material museístico que dos años más tarde realizó para un mismo cliente. En los volúmenes cúbicos de estos edificios es posible ver obras civiles que guardan una relación de reciprocidad, una vía y una antítesis, o más bien los tantos positivos y negativos de una especie de monumental juego de tablero inventado por el arquitecto con objeto de proporcionar al sistema U–Bahn de Frankfurt una identidad urbana más concluyente. De estos dos ejercicios estilísticos el primero es probablemente el más convincente, aunque tan sólo sea por tratarse de la obra urbana que con mayor contenido espacial Mäckler ha hecho hasta la fecha. Luego, prescindiendo de las brillantes propuestas que haya presentado a los concursos, todos los augurios que puedan hacerse de él como prometedor arquitecto alemán resultan de la implantación y resolución hábiles de un edificio severo, provisto de huecos cerrados con pavés, de aberturas acristaladas a ras de fachada con elementos metálicos ligeros y, por encima de esta obra, como artífice de una atractiva portada de fábrica de ladrillo visto, cuya maestría raya el nivel de las creaciones de Mies en Krefeld.

Sin embargo, las formas voluminosas y estridentes no son la única fórmula que utiliza Mäckler; es evidente su capacidad de trabajar en claves más ligeras, véase sino el mirador prefabricado que depositó un mediodía de 1992 encima de un edificio de viviendas de Frankfurt. Esta cápsula diminuta,

the dynamic Neo–Corbusian line of the Vesnin brothers at their best in their Lenin Library of 1927 for example. This surely is the reference in Mäckler's 1992 entry for the Philipp Holzmann School in Frankfurt; a wide fronted building that like his entry for the Frankfurt Stadtreinigung headquarters of 1993 or his proposal for a school in Berlin–Hellersdorf of the same date, is a Großbauform *that has been articulated and enlivened by a Rationalist–cum–Constructivist rigor that was never part of that tradition.*

For all the boldness and vigor of these remarkable projects, Mäckler has still perhaps been at his most compelling to date in the diminutive urban set pieces that he has been able to realize in Frankfurt over the last decade. I have in mind of course the U–Bahn surface station built for Frankfurt in 1992, together with a rectifier station and museum depot, completed for the same client two years later. We many look at these cubic buildings as reciprocal civic pieces, as a gateway and antithesis, or rather as the positive and negative terms of a kind of monumental board game invented by the architect in order to provide a more decidedly urban identity to the Frankfurt U–Bahn system. Of these two exercices-in-style the former surely is most convincing, if only because it is the most spatial urban work that Mäckler has achieved to date. Thus, despite his brilliant competition entries, all his true promise as an emerging German architect surely resides here in the deft siting and detailing of this strict building with its glass block fenestration and flush glazed bay windows executed in lightweight steel and above all its compelling portal in precision brickwork, worthy of Mies at his Krefeld best.

The strident mass-form is by no means Mäckler's only mode however; for he is evidently capable of a much lighter key as in the prefabricated belvedere that he dropped on to the top of a four-square Frankfurt house one noontime in 1992. This diminutive, flat-roofed steel-framed pod, lightly poised on top of the load-bearing walls of an existing house, highlights the constructivist, one might even say, technocratic side of Mäckler's imagination, linking him to a tradition that is quite removed from one I have emphasized here. Here surely, with its all-steel stair and lightweight casement windows, with its modular veneered panels and imperceptibly elegant canvas blinds, we are returned to another line entirely, to one that if anything is closer to Egon Eiermann than the undulating precision brickwork of, say, Häring or Mendelsohn.

Central rectificadora, Frankfurt am Main. Vista nocturna de un fragmento de la fachada

Rectifier station, Frankfurt-am-Main. Partial view of the facade by night

construida con una estructura metálica ligera y con una cubierta plana, descansa suavemente en las paredes de carga de una edificación existente y resalta la faceta constructivista, o incluso podríamos calificar de tecnocrática, que posee la imaginación de Mäckler, vinculando al arquitecto a una tradición lejana de la subrayada por mí aquí. La escalera, toda ella metálica al igual que la carpintería ligera exterior, los paneles de contrachapado y las persianas, elegantes y discretas, significan la vuelta a una vía que, como mínimo, está más cerca de Egon Eiermann que de la exacta y sinuosa obra vista de, por ejemplo, Häring o Mendelsohn.

[1] Juego de palabras intraducible mediante los vocablos *tradition* (tradición), *trade* (comercio) y *betrayal* (traición) (*N. del T.*)

Christoph Mäckler

Kristin Feireiss

Cuando él, el más joven de una dinastía de arquitectos, empezó a estudiar la carrera, su padre, quien junto con un socio Alois Giefer, diseñó edificios tan emblemáticos como el aeropuerto de Frankfurt, la Deutsche Bibliothek y la Escuela Alemana de Madrid, además de un total de veinte iglesias en la sede de Limburgo, ponía punto y final a su ejercicio profesional como arquitecto. Fue, sin embargo, su padre la persona que le sirvió de modelo y que sentó la piedra angular de su pasión por la arquitectura.

Dos personajes sobresalientes aparecen también en el cuadro, dos figuras que, distintas como el agua y el fuego, configuraron de modo diferente el perfil de su práctica profesional. Uno, Oswald M. Ungers, con quien Christoph Mäckler trabajó a mediados de la década de los años setenta, y el otro, Gottfried Böhm. Uno, teórico reflexivo y analista brillante; el otro, un profesional virtuoso y un constructor seguro; uno en las antípodas del otro. Y en el intermedio, antes de ir a estudiar a la TH de Aquisgrán, la titulación en arquitectura.

El choque entre la racionalidad (Ungers) y la materialidad (Böhm), encarnadas por dos de las personalidades más independientes e idiosincráticas de la arquitectura de la posguerra, sólo podía dirimirse gracias a la concordia que lograra alguien dotado de un fuerte poder creativo. De la lectura del repertorio de obras de Mäckler –tanto de los proyectos urbanísticos como arquitectónicos– es posible extraer la impresionante muestra sintética de un planteamiento racionalista puro, por un lado, y de una comprensión intuitiva de los materiales y de los espacios, por el otro.

Christoph Mäckler no es encasillable en esa clase de arquitectos que entienden que su trabajo está poco más o menos concluido en cuanto acaban el proyecto. Sus bocetos en blanco y negro, pletóricos de expresividad, y sus croquis son un medio para alcanzar un fin; tiene la auténtica meta situada en la realización del proyecto, en la conclusión del edificio. Posee una energía creadora, por decirlo así, omnipresente, que convierte al diseñador genial en un perfeccionista meticuloso obsesionado con el detalle. El resultado es una profesionalidad sin parangón.

El tratamiento fluido del proceso constructivo posee a los ojos de Mäckler tanta importancia como el propio edificio ya acabado. Se exige lo máximo a sí mismo y a la profesión con el fin de que el edificio se levante según pautas verdaderamente profesionales, es decir, ciñéndose a un presupuesto y a un programa preestablecidos.

Christoph Mäckler

Kristin Feireiss

When he began to study architecture as the youngest son of a dynasty of architects, his father, Hermann Mäckler, who together with his partner Alois Giefer had designed such landmark buildings as the Frankfurt Airport, the Deutsche Bibliothek in Frankfurt, the German School in Madrid and a total of twenty churches in the see of Limburg, had just ended his career as a professional architect. Neverthless, it was his father who served as his role–model and thus laid the cornerstone of his passion for architecture.

There are two other outstanding architects who subsequently entered the picture, two personalities as different as fire and water who shaped his professional career in distinct ways. Oswald M. Ungers, with whom Christoph Mäckler worked in the mid–1970s following his graduation from architecture school in Darmstadt before going on to study at the TH Aachen, and his great teacher, Gottfried Böhm – two great antipodes: one brilliant analyst and sober-minded theoretician, the other a professional virtuoso and full-blooded master builder.

This clash between rationality (Ungers) and materiality (Böhm), embodied by two the most independent and idiosyncratic personages of post–war German architecture, could only be reconciled by someone who himself possessed strong creative power. The catalogue of Mäckler's work –his urbanistic projects just as much as his individual buildings– can be read as the impressive illustration of a synthesis of a straightforward rationalist approach on the one hand and intuitive grasp of spaces and materials on the other.

Christoph Mäckler is not one of those architects who consider their work more less done once the design has been completed. His highly expressive black–and–white sketches and hand drawings are simply a means to an end, his true goal always being the realization of the design, the completed building. His creative drive is omnipotent, as it were, turning the genius designer into a meticulous perfectionist obsessed with detail. The result is a unique professionalism that is cleary unmatched.

For Christoph Mäckler the smooth handling of the construction process is just as important as the completed building. He places the highest of demands on himself and the profession in order to erect a building in a truly professional way, i.e. within the given budget and schedule.

In an article in the Berlin Bauwelt, *in which he took a critical view of the downfall of architectural culture, he revealed*

En un artículo que apareció en el berlinés *Bauwelt,* donde tomó una posición crítica respecto al descalabro de la cultura arquitectónica, reveló asimismo una clave fundamental para saber cómo evalúa su obra: "¿Nos enseñó alguien las posibilidades de la artesanía aplicada a la piedra natural, las técnicas diversas que existen para crear superficies revocadas, el tratamiento y manipulación específicos de los metales, la influencia del diseño de una juntas en el carácter epidérmico de un paramento de obra vista? Se tiene la impresión de que hemos limitado mucho la vitalidad y variedad del surtido arquitectónico que tenemos a mano. Hemos desfigurado, además, hasta más allá de su reconocimiento, los diferentes materiales en un intento de integrarlos en el proceso industrial y de borrar cualquier rastro de su utilidad (en correspondencia con la imagen del producto industrial): a los metales se les recubre o anodiza; el revestimiento ha degenerado en un enlucido con propiedades de aislamiento térmico; la piedra natural se coloca a modo de paneles previamente cortados y a los ladrillos se les tiñe de colores artificiales. Con semejante trato, los materiales y, en consecuencia, los edificios con ellos construidos, pierden frescor y vitalidad; parece que tengan una fecha determinada de caducidad, a partir de la cual perderán la lozanía y se transformarán en objetos decrépitos. En vez de envejecer, sencillamente se pudren."

Los edificios de Mäckler experimentan un proceso natural de envejecimiento en el cual conservan su dignidad. Sólo a uno de ellos se le hurtó esa oportunidad: al edificio de la embajada de la República Federal de Alemania en la antigua República Democrática Alemana. Cuando la envoltura estaba prácticamente terminada, la obra perdió su sentido al caer el Muro de Berlín; primero era un inconveniente, después fue un escándalo y al final se demolió (no hace muchos meses).

Un episodio doloroso en la vida profesional de Mäckler. La realidad física de su obra demuestra con holgura lo que entonces, y por desgracia, quedó inconcluso: una arquitectura impresionante de "gran morfología", aunque con una escala humana y una sutil integración en el entorno urbano, en la que debía sentirse una entidad unitaria.

La torre de oficinas de Frankfurt (1992–1994), la estación término del metro de Frankfurt am Main (1990–1992) y la central rectificadora (1990–1994) de esta misma ciudad ponen también de manifiesto esa cualidad: son estructuras intencionales y creadas ex profeso. Pese a que exhiban una exterioridad escultórica, estas obras no carecen de la racionalidad in-

an important clue as to how he rates his own work: "Has anyone ever taught us about the possibilities involved in the workmanship applied to natural stone, or about the different techniques of creating rendered surfaces, or about the specific treatment and handling of metals, or about the different surface character of brick walls in conjunction with specific types of joint design? It seems that we have effectively disfigured almost all materials quite beyond recognition in the effort to integrate them into the industrial process and at the same time prevent any trace of use (corresponding with the image of the industrial product): metals are being coated or anodized, facing has degenerated to thermal insulation plaster, natural stone is hung in pre–cut panels, and bricks are tinted with artificial coloring. Treated this way, all materials, and hence the buildings assembled with them, lose their freshness and vitality. Such buildings seem to have an inbuilt expiration date, after they lose their freshness to become shabby. Instead of aging, they simply rot."

Mäckler's buildings imply a natural aging process which allows them to maintain their dignity. There is only one building which was robbed of this opportunity: the designated embassy of the West German Government in the former GDR. The shell having just been completed, the building lost its purpose with the fall of the Berlin Wall; it became first an inconvenience and then a scandal before finally being demolished a few months ago – still a painful episode in Mäckler's career as an architect. Yet the built reality of his work amply demonstrates what remained sadly incomplete in this one instant: an impressive architecture of "great form" to be experienced as a unified entity, yet showing human scale and sensitive integration into the urban environment.

This is equally true for his Frankfurt office tower (1992-94), the subway terminus (Frankfurt/Main 1990-92), and the rectifier station (Frankfurt/Main 1990-94) – all of them deliberate and deliberately formed structures. In spite of their sculptured appearance, they do not lack the rationality inherent in all of Mäckler's designs. In the design of his buildings, appearance goes hand in hand with function, and there is deceptively simple question that he asks himself over and over again with each new project: "What can the building look like at this *particular location and for* this *particular function? For Mäckler, this question is answered when his buildings are perceived as if they had always been there, as if it could not be any other way. In addition to the materiality and professionality, there is*

Maqueta de un proyecto de edificio en altura

Model of a project for a high-rise building

trínseca a todos los proyectos de Mäckler. La apariencia va en los diseños de sus edificios de la mano de la función y cada nuevo proyecto se formula con una pregunta, falsamente sencilla, que él se hace una y otra vez: "¿Qué aspecto puede tener un edificio destinado a *este* emplazamiento concreto y a *esta* función en particular?" Mäckler opina que la pregunta recibe respuesta cuando se contemplan sus edificios como si hubieran estado siempre donde están, como si no pudieran haber sido más que de esa forma y nunca de otra. Cuando se trata de determinar particularidades en su obra, junto a los términos de materialidad y de profesionalidad, brota el de sustantividad. A Mäckler le desagrada la grandilocuencia de gestos, es más, no le gusta. Tiene fe en la continuidad y, enfáticamente, así lo declara: "Hay que poner otra vez los pies en terreno firme." Estima que nada separa el proyecto y la realización y así lo prueba la *oeuvre* que ofrece este libro. Hablamos de un teórico perspicaz, de un constructor equilibrado, de un profesional verdadero que siente predilección, pasión por el detalle y un profundo aprecio por la tradición, que para él no excluye en ningún momento la innovación.

Sin olvidar todo lo que hasta ahora comentado, su respuesta a qué le gustaría construir si pudiera, no nos parecerá tan sorprendente: una iglesia, porque cree poder influir en las personas a través de los materiales y de la forma, de la proporción, del color y de la luz, y un rascacielos de 230 m de altura (tal como era un proyecto suyo de 1987 en Frankfurt), porque igualmente le gustaría demostrar que, con el modo de hacer y con los materiales de hoy, cabe proyectar un edificio que sea la expresión más pura de la sociedad capitalista, pero de manera humana y acorde con la ciudad y el entorno.

Sería maravilloso para él, y para nosotros, que disfrutara de esa oportunidad.

another term that comes to mind when one tries to characterize his work: matter–of–factness. Mäckler not only lacks the feel for grand gestures, he rejects them altogether. He believes in continuity, stating emphatically: "We need to get our feet on solid ground once again." It is also typical of his approach that for him there is no gap between design and realization, as his œuvre*, presented in this volume, demonstrates quite clearly: He is both a clear-headed theoretician and a down-to-earth master builder – a true professional by predilection, with a passion for detail and a deep appreciation of tradition which for him naturally includes innovation.*

With this in mind, his answer to the question what he would most like to build if he could have his way, will not seem so surprising: a church, because he believes that he can best influence people by way of materials, form, proportion, color and light; and 230 m high skyscraper (as in 1987 project for Frankfurt), because he wolud like to prove that with modern-day know–how and materials, it is actually possible to design such a building, wich is the purest expression of our capitalist society, in a way that is humane and compatible with both the city and the environment.

It would be wonderful for him, and for us, if he got the chance.

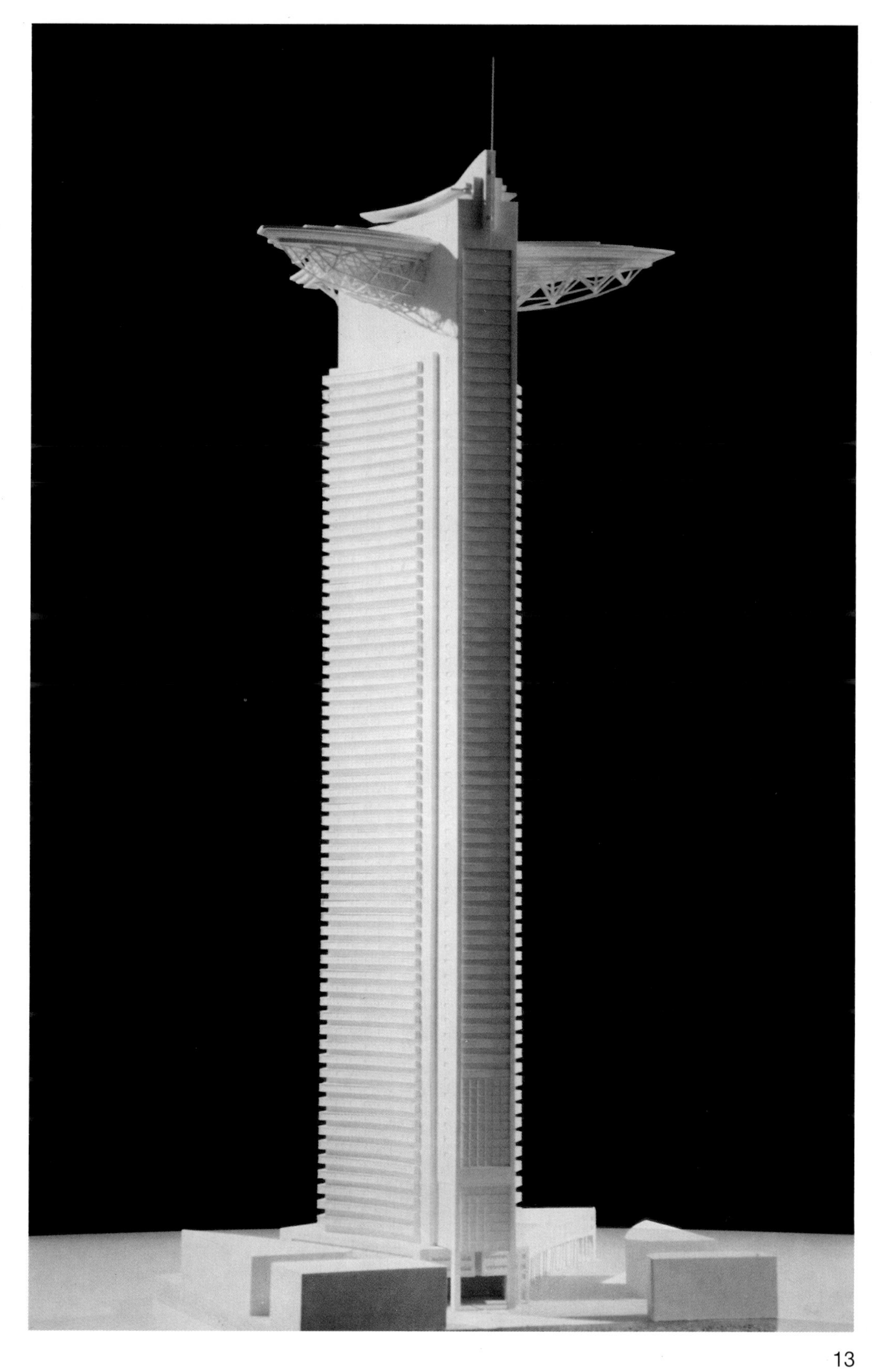

1984-1988

Guardería, Frankfurt-Sossenheim

Por regla general, en las zonas recién urbanizadas de nuestras ciudades faltan aquellos espacios viarios y plazas públicas que abundaban siglos atrás. Con el diseño de esta guardería se intenta subsanar esta deficiencia imitando elementos propios del espacio urbano.

A través de una planta organizada con nitidez se pone de relieve la individualidad que posee una ordenación sencilla; mientras, la pluralidad espacial sólo es verdaderamente ostensible en la tercera dimensión.

Los materiales, ladrillo prensado y hormigón, representan durabilidad y calma; las variaciones se producen en superficie y el paso del tiempo tratará la edificación con cariño.

Day Care Center, Frankfurt-Sossenheim

The newly developed areas of our cities usually lack the kind of street spaces and public squares so familiar from past centuries. The design for thjis day-care center attempts to balance this shortcoming by simulating elements of urban space.

The clearly organized plan shows the individuality of simple organization, and it is only in the third dimension that the spatial diversity actually becomes apparent.

The materials –engineering brick and concrete– represent durability and tranquility. All changes are superficial, the house is allowed to age gracefully.

Vista de la fachada exterior y del corredor interior

View of the exterior facade and the interior corridor

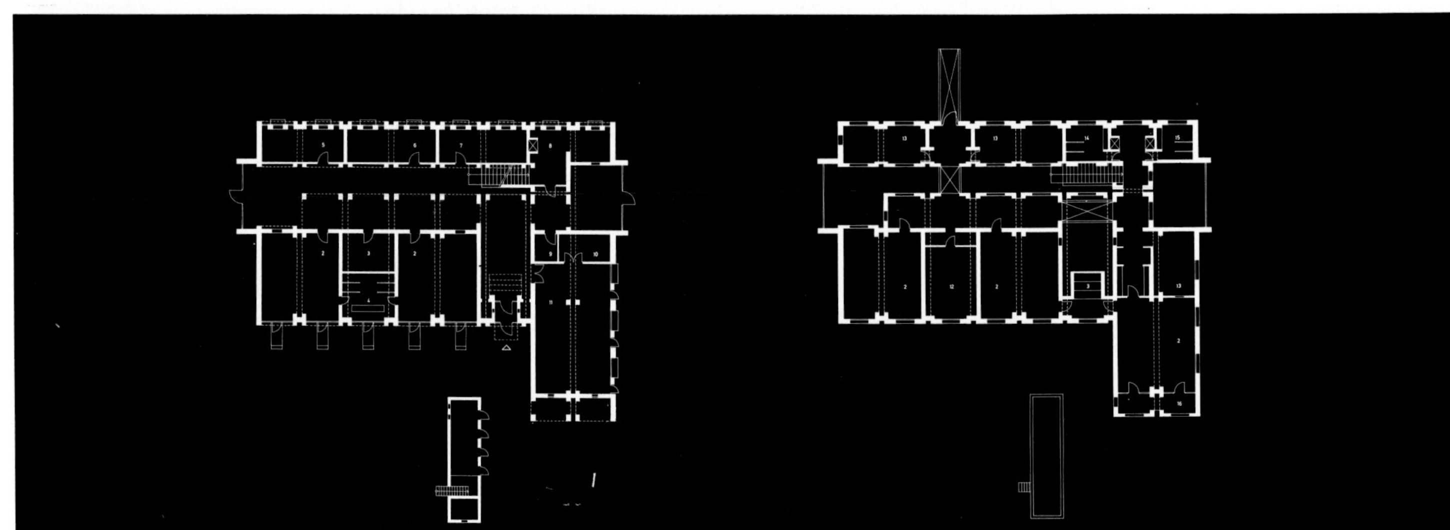

Páginas anteriores: plantas, vista de exterior y del vestíbulo

Previous pages: plans, view of the exterior and of the vestibule

Vista de un fragmento de la fachada y del corredor interior

Partial view of the facade and the interior corridor

1986-1989

Residencia de embajadores de la República Federal de Alemania en la antigua RDA

La situación política durante la posguerra alemana determinó el diseño de este edificio destinado a ser, en un país dividido, el lugar de reunión de todos los alemanes.

La construcción maciza y lineal de ladrillo está cruzada por un volumen-puente de hormigón visto, en cuyos extremos se instalarán sendas estatuas de Cástor y Pólux.

A causa del cambio político experimentado en el país, la cáscara, ya terminada, se demolerá por no satisfacer los designios para los que fue concebida.

Ambassadors Residence of the Federal Republic of Germany in the Former GDR

The political situation in post-war Germany informed the design concept for this building which was meant to be a meeting place for all Germans in a divided country.

A linear, massive structure of engineering brick is penetrated at right angles by a bridge-like volume of fair-faced concrete. The statues of "Castor and Polux" were to be placed at either end.

Due to political changes, the completed shell no longer serves a purpose and will be demolished.

Perspectiva y fragmento del edificio en construcción

Perspective and partial view of the building under construction

Páginas siguientes: plantas, alzados y detalles constructivos

Following pages: plans, elevations and construction details

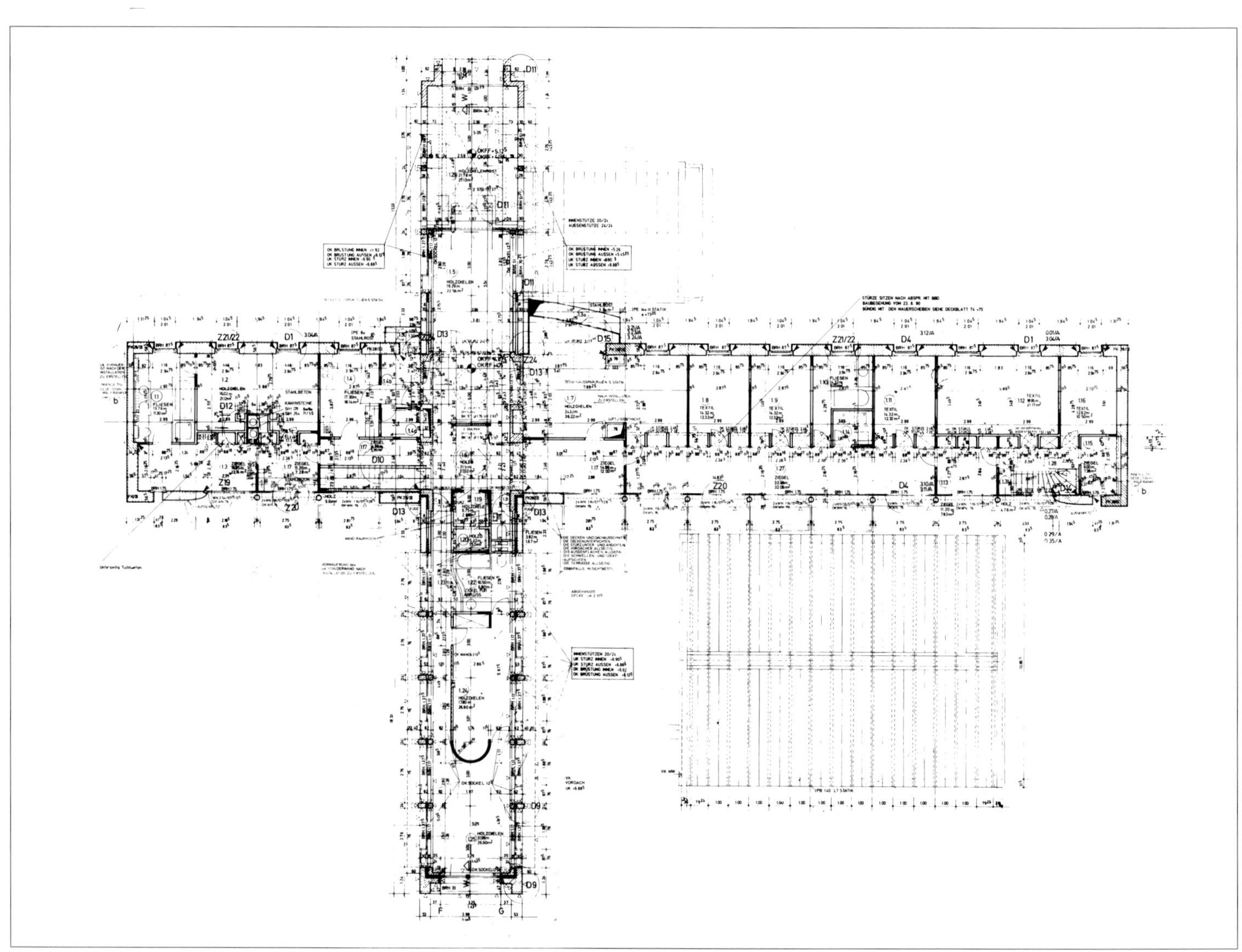
D11
D13
D15
D1
D4
Z21/22
Z24
Z19
Z20
D12
D10
D9
F
G
b

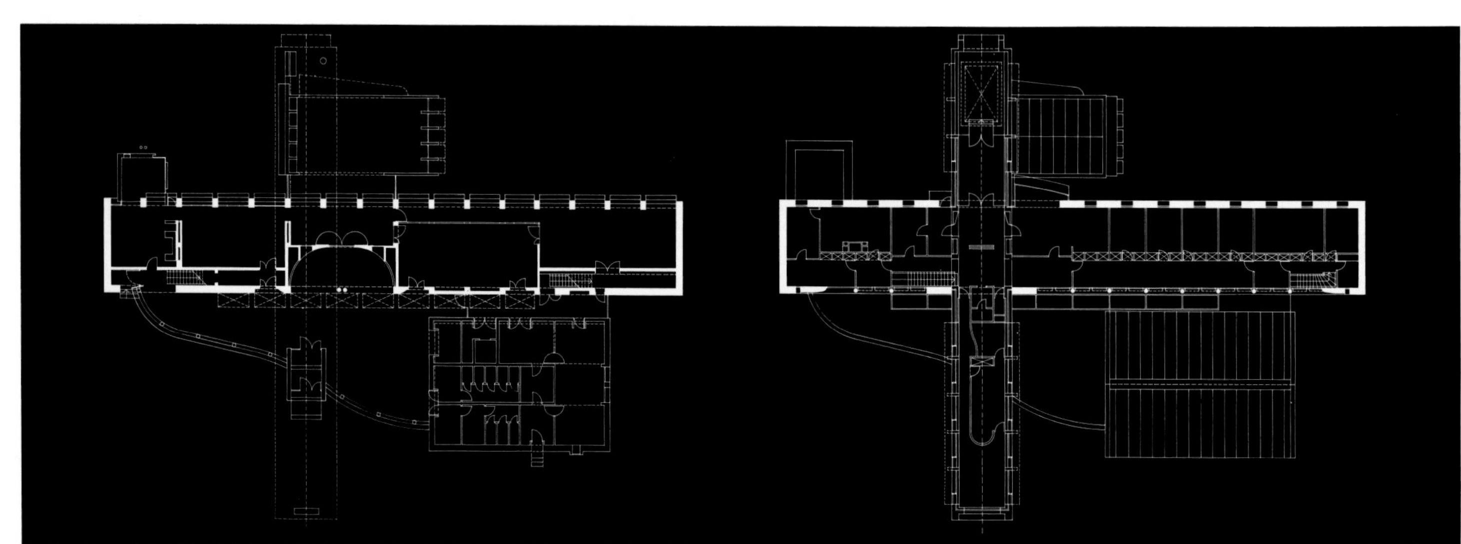

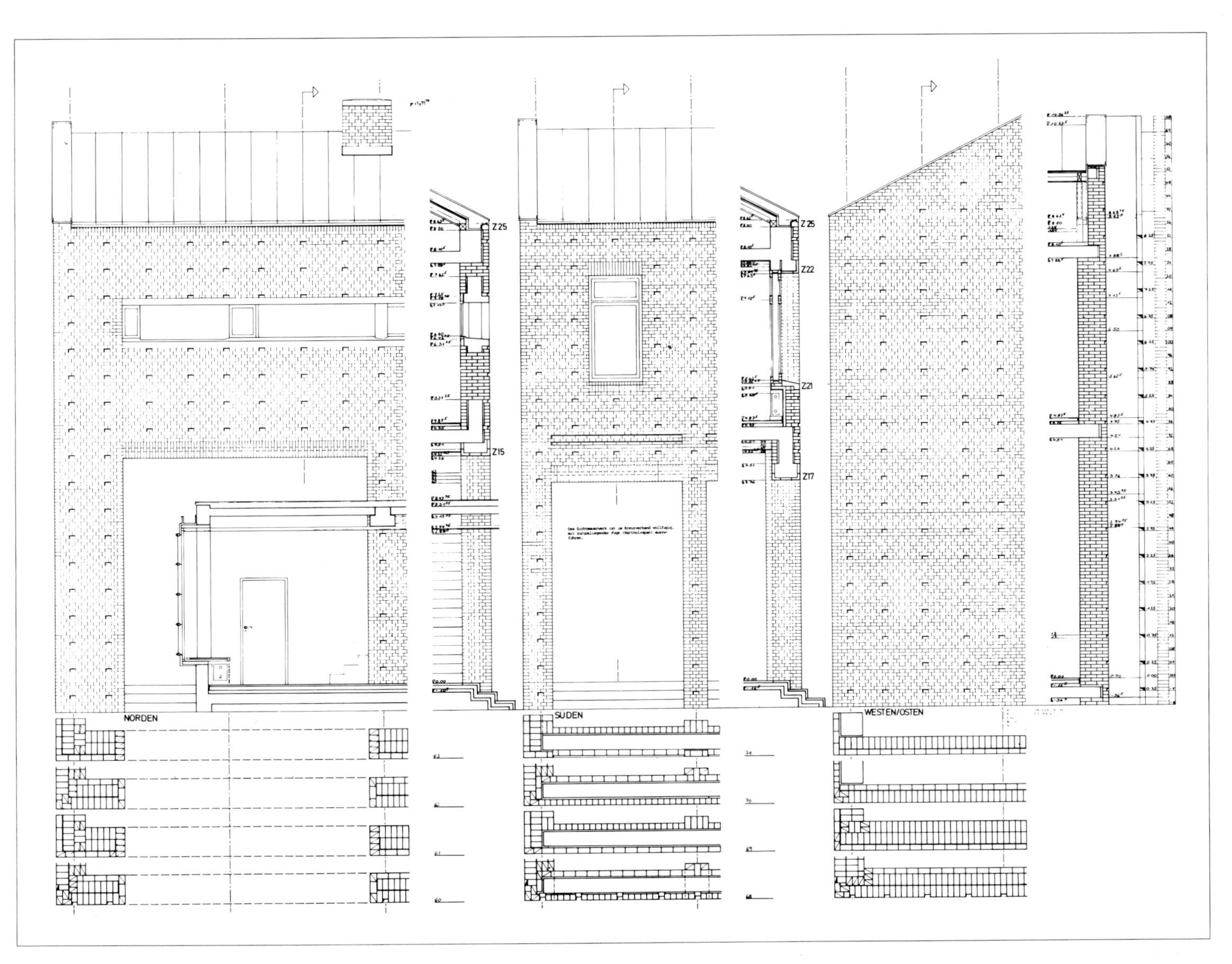
Z25
Z15
Z22
Z21
Z17
NORDEN
SÜDEN
WESTEN/OSTEN

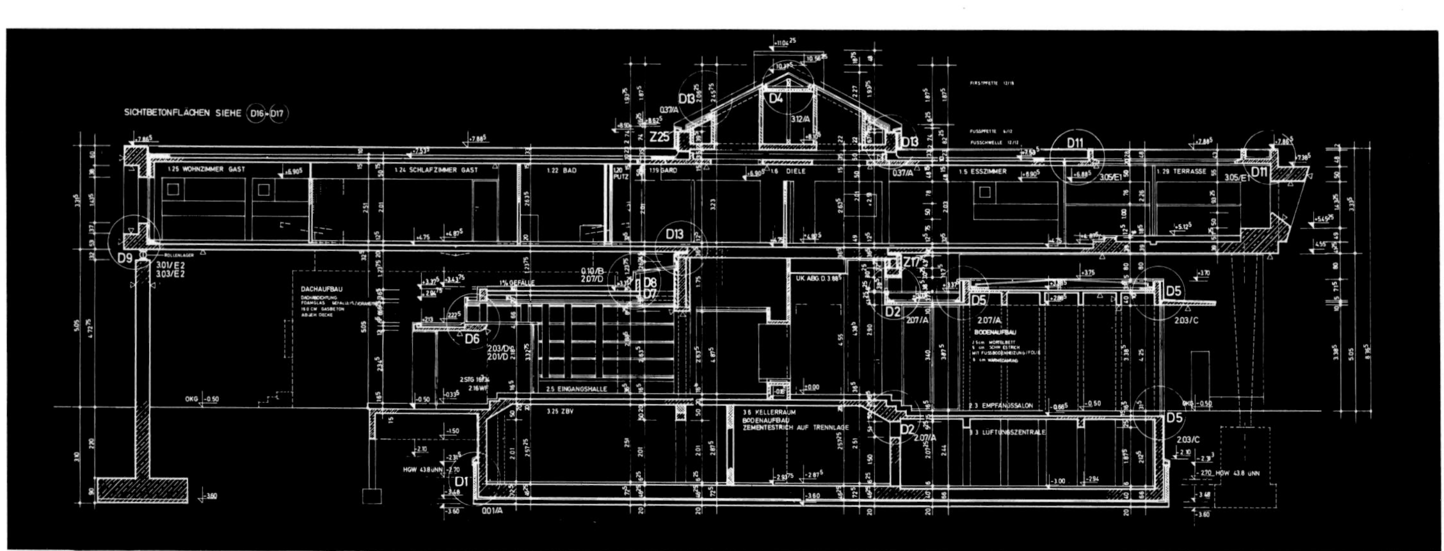
SICHTBETONFLÄCHEN SIEHE D16–D17
1.25 WOHNZIMMER GAST
1.24 SCHLAFZIMMER GAST
1.22 BAD
1.20 PUTZ
1.19 GARD
1.6 DIELE
1.5 ESSZIMMER
1.29 TERRASSE
DACHAUFBAU
2.5 EINGANGSHALLE
3.25 ZBV
UK. ABG. D. 3.88
2.07/A
BODENAUFBAU
2.3 EMPFANGSSALON
3.6 KELLERRAUM
BODENAUFBAU
ZEMENTESTRICH AUF TRENNLAGE
3.3 LÜFTUNGSZENTRALE
1% GEFÄLLE
ROLLENLAGER
OKG -0.50

Alzado, sección y dos vistas del edificio en construcción

Elevation, section and two views of the building under construction

1988-1990

Vivienda unifamiliar, Taunus

Esta vivienda unifamiliar presenta dos elementos característicos: uno introvertido, rectangular con un revestimiento de ladrillo; otro extrovertido, semicircular y acabado en color blanco.

Ambos volúmenes, junto con el ala excavada en la ladera que contiene servicios y el garaje, forman una composición urbana que, amén de generar espacios, destaca por la modestia de su solidez.

Los interiores de las dos fracciones del edificio difieren tanto como sus correspondientes fachadas y, aún más, albergan espacios de naturaleza distinta que se refleja en techos altos y bajos, en abertura y oclusión y en luminosidad y oscuridad.

La madera y la piedra, el hormigón, el hierro y el vidrio, en suma, todos los materiales empleados reciben un tratamiento propio de la ejecución más escrupulosa.

Residence in the Taunus

This single-family residence is composed of two characteristic elements: one brick-clad, rectangular, rather introverted; the other a semicircular, white-rendered, open volume. Together with a service and garage wing dug into the slope, these two volumes form a space-generating urbanist composition marked by unassuming solidity.

The interiors of the two parts of the building differ as much as their facades, containing spaces of different character: high and low ceilings, openness and enclosure, bright and dark rooms. The materials are timber, stone concrete, steel and glass, all handled to the highest standards of craftsmanship.

Planta, alzado y fragmento del exterior

Plan, elevation and partial view of the exterior

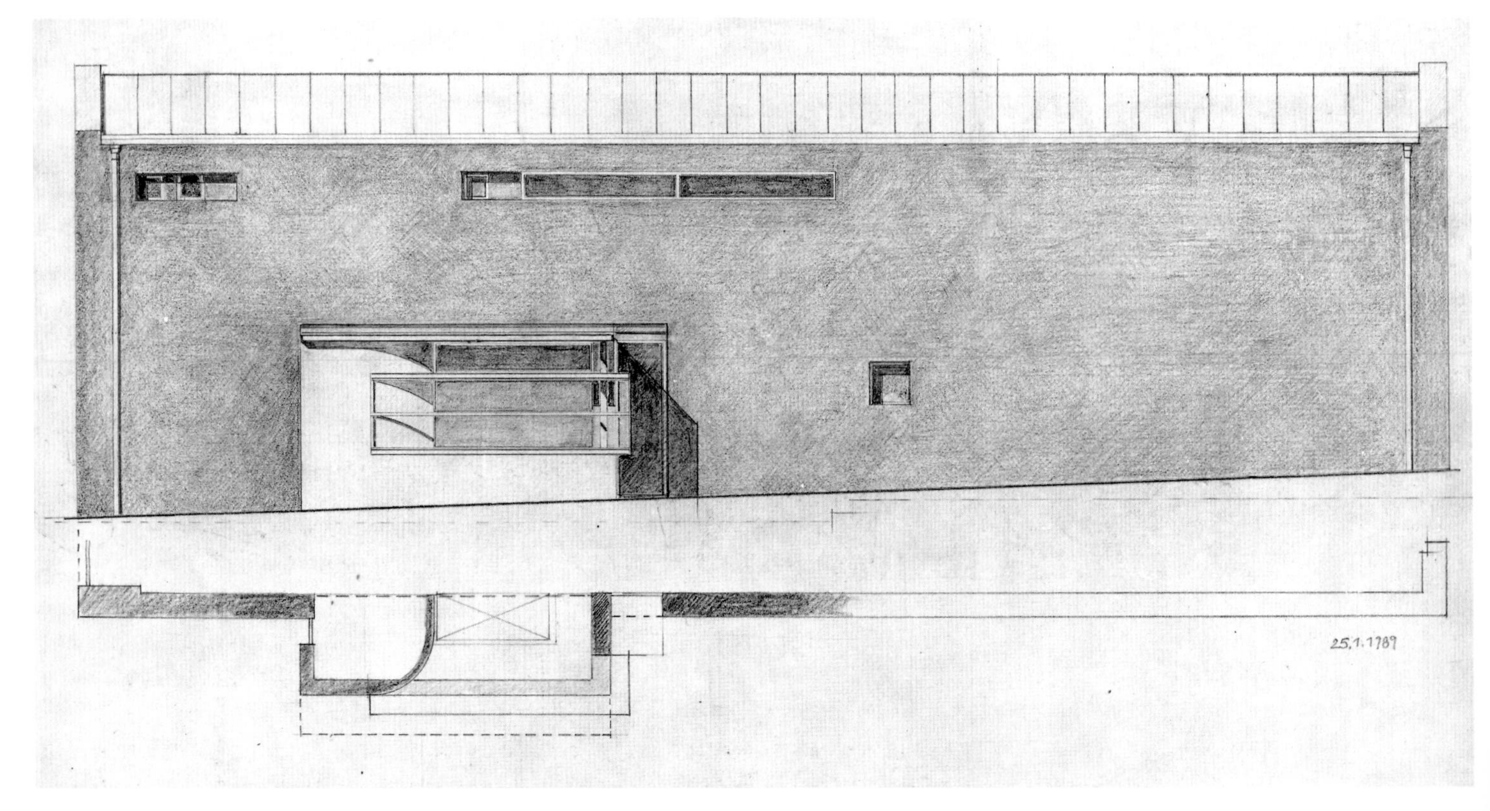

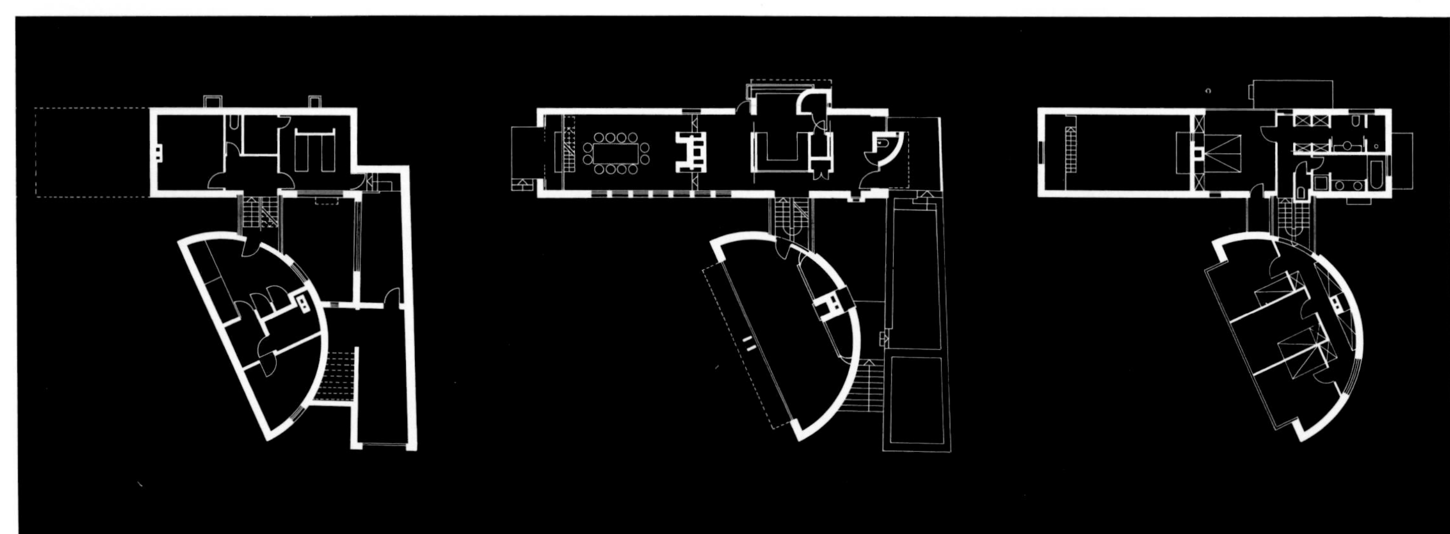

Páginas anteriores: plantas y diversas vistas y detalles del exterior

Previous pages: plans and various views and details of the exterior

Fragmento del exterior y diversas vistas del interior

Partial view of the exterior and various view of the interior

1989

Residencia Île St. Louis, exposición, París

La escultura desmaterializada de la Villa Savoye ostenta en París la representación del Movimiento Moderno. Aun así, la casa que proyectó Adolf Loos para Tristan Tzara vaticinó mejor que aquélla cuál sería el futuro de la arquitectura moderna; la mezcla de una "modernidad clásica" en color blanco con un Movimiento Moderno "rematerializado" la convierte en una obra ejemplar.

La fachada orientada a la calle se compone de una parte maciza de piedra natural y de otra de forma cúbica, color blanco y apariencia inmaterial que descansa en la primera. Loos utilizó en la base el mismo material que en los muros de contención que flanquean lateralmente la casa, con lo que responde a la singularidad del lugar y presta a la edificación cierta solidez. La porción superior de la fachada refleja, en cambio, la idea de una escultura inmaterial, autónoma y desligada del entorno.

La edificación contiene dieciséis viviendas y un paso de comunicación entre la plaza y las orillas del Sena. Gracias a la esbeltez del volumen todas las viviendas respiran el aire urbano de París. Al cabo de sesenta años de construirse la Villa Savoye en un parque, construimos por fin de nuevo en la ciudad y para la ciudad.

Residence Ile St. Louis, Exhibition, Paris

In Paris the Modern Movement is represented by the de-materialized sculpture of the Villa Savoye. Yet the future of the modern architecture was anticipated much better by Adolf Loos' design for the house of Tristan Tzara. It is one of the examples for the combination of a classic "white moderity" - and a re-materialized Modern Movement.

The street facade is composed of two parts: a massive base of natural stone supporting a seemingly immaterial white cube. For the base of the building Loos used the same material as in the retaining walls flanking the house on both sides, thus responding to the individual character of the place as well as lending his house a certain solidity. By contrast, the upper portion of the facade reflects the idea of a sculpture - immaterial, self-sufficient and unrelated to the place.

The house contains 16 apartments and a passage from the square to the banks of the Seine. The slender volume allows each dwelling unit breathe the city air of Paris. After sixty years of the Villa Savoye in the park, we are once again building in the city and for the city!

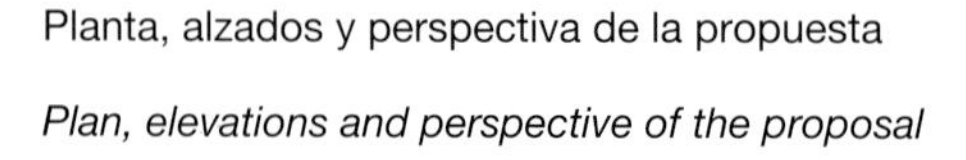

Planta, alzados y perspectiva de la propuesta

Plan, elevations and perspective of the proposal

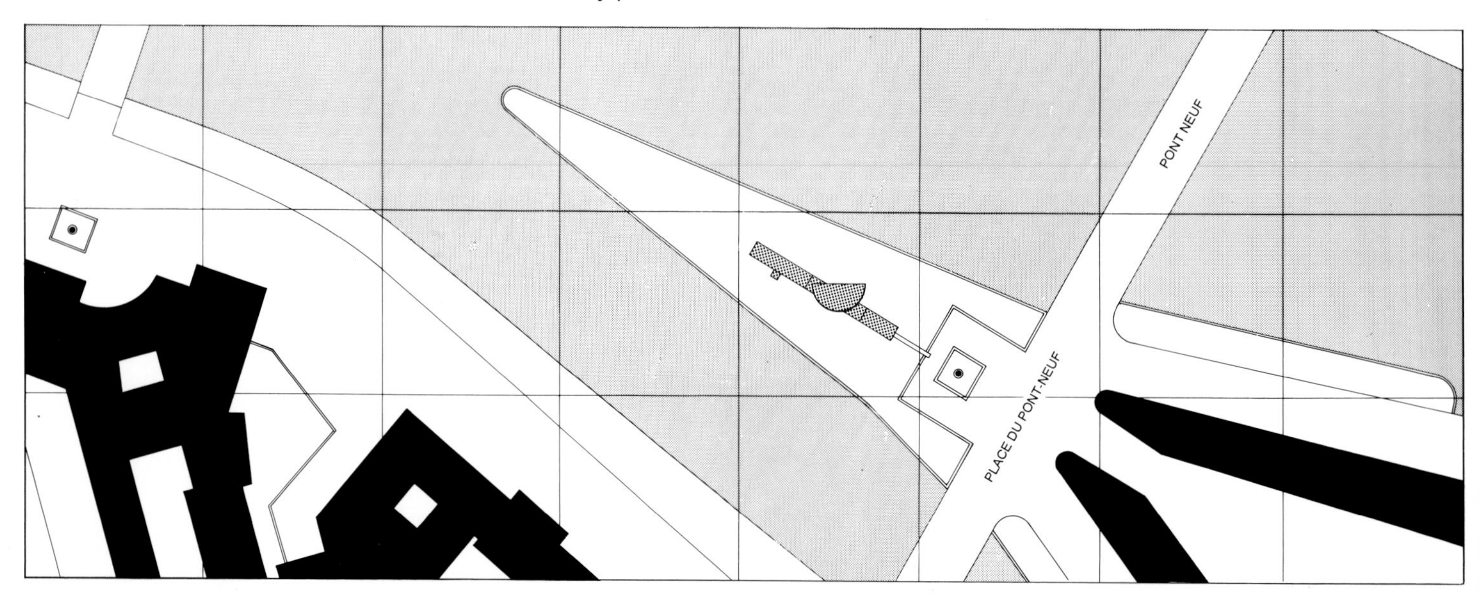

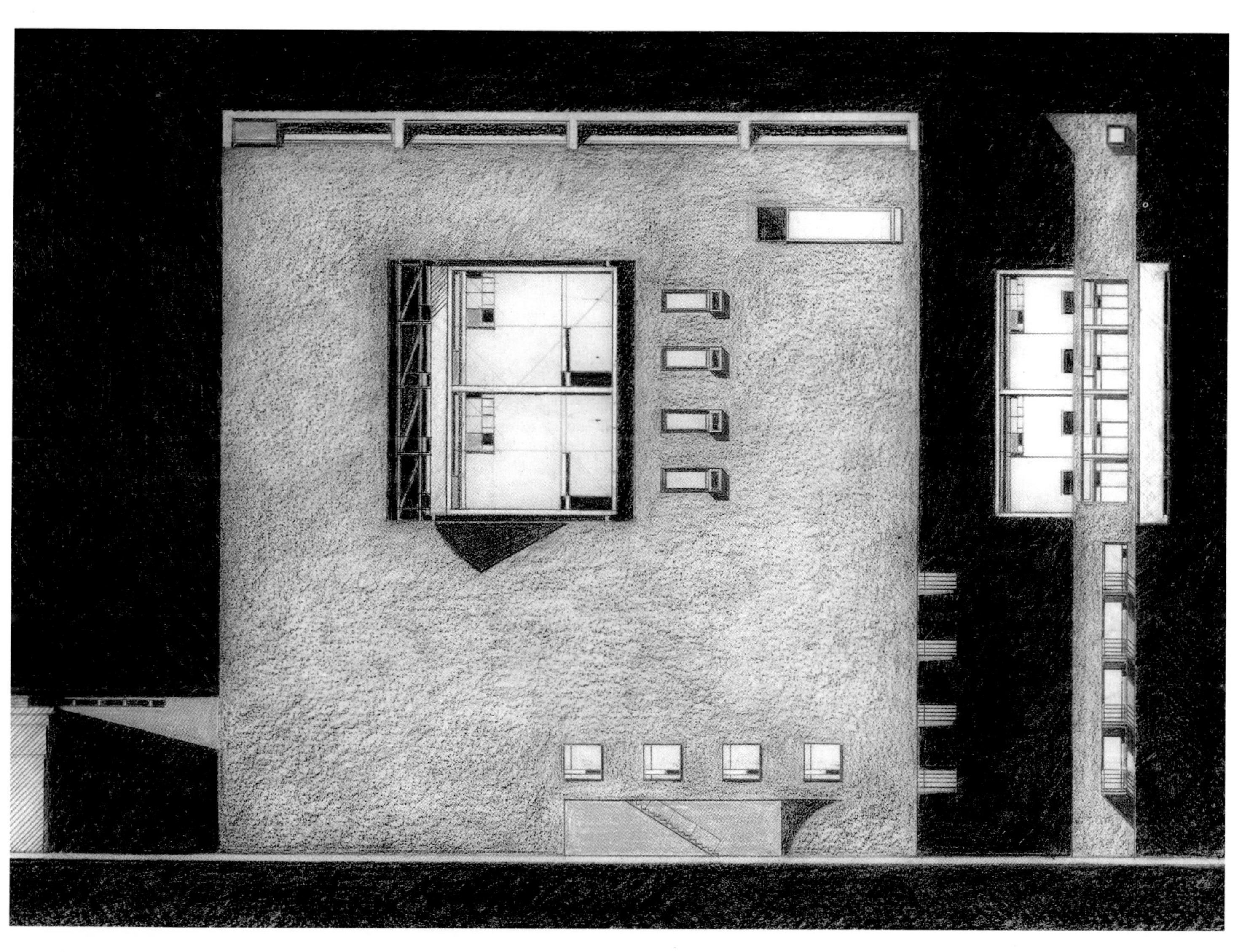

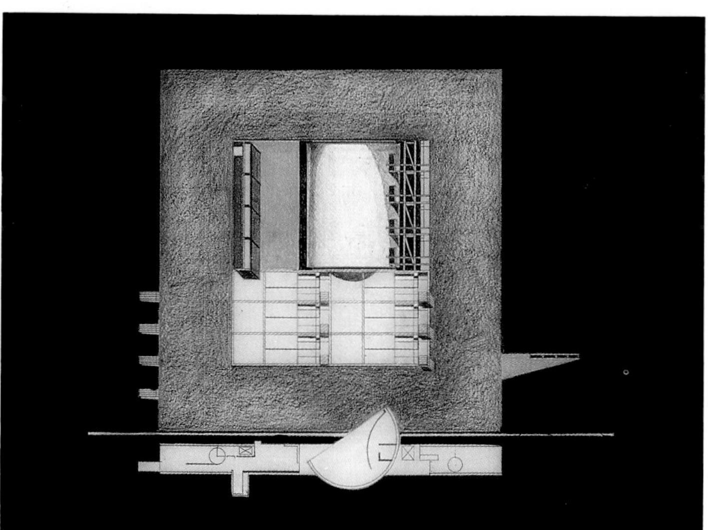

1990-1992

Nueva terminal del metro, Frankfurt am Main

Las funciones técnicas y los equipamientos de transporte han de subordinarse por fuerza a las condiciones urbanas preexistentes. Esta nueva estación exigió entre otras muchas instalaciones, una sala para los conductores, otra para la central eléctrica, un centro de mandos de señalización, aseos, etc.

El conjunto de estas instalaciones se combinó en un construcción única con la intención de dotar a la nueva línea de una estación que sobresaliera por su arquitectura.

New subway terminus, Frankfurt am Main

Technical functions and transport facilities must necessarily be subordinated to the existing urban situation. The terminus of the new U-Bahn line required a number of individual facilities including drivers lounge, electrical plant room, signal-box toilets etc. All of these installations were combined in a single structure in order to provide the new line with an architecturally prominent station building.

Emplazamiento y dos vistas del exterior

Site plan and two view of the exterior

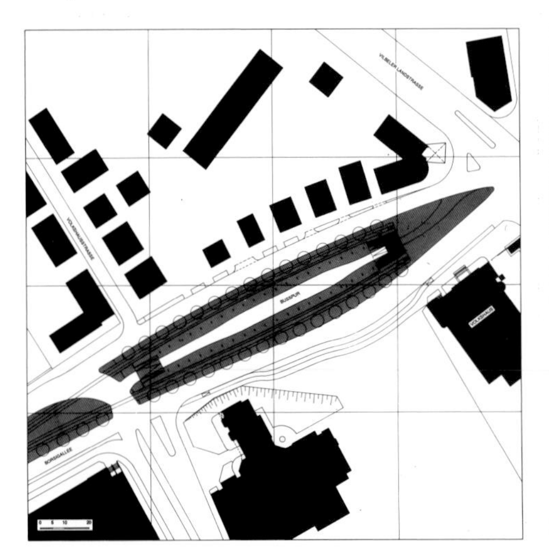

Plantas y dos fragmentos del exterior

Plans and two partial views of the exterior

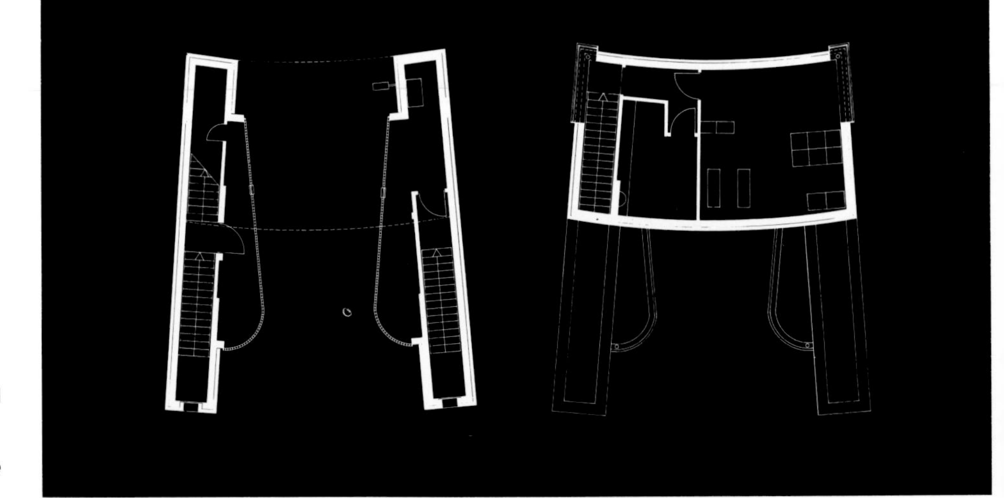

Páginas siguientes: diversas vistas y detalles del exterior

Following pages: various views and details of the exterior

703
749

1990-1994

Central rectificadora, Frankfurt am Main

La necesidad de suministrar fluido eléctrico a una nueva vía de la U–Bahn de Frankfurt am Main significó la construcción de una central rectificadora asociada a un nuevo almacén de material procedente del Museo de Antropología. En un terreno ocupado ya por una nave almacén, que se extiende junto a una avenida principal de un barrio industrial, el edificio se alza cual portada y señala lo que es la primera fase del conjunto de almacenes que se están construyendo para los nuevos museos de esta ciudad.

Dado que ni la central ni el almacén necesitan ventanas, el par de escaleras de incendios y las tres salas de restauración –únicos espacios a los que el programa asigna acristalamientos– se situaron orientados a la calle para proporcionar al edificio una fachada adecuada.

Rectifier Station, Frankfurt am Main

In order to provide electrical power for a new U-Bahn line in Frankfurt am Main the city needed a rectifier station together with a new storage complex for the Anthropological Museum. The project stands as a gateway building on a site already occupied by a storage shed along one side of a major avenue in an industrial district and marks the first stage of the large-scale museum storage complex being erected for the new Frankfurt museums.

As neither the rectifier station nor the museum depot require window openings, the two escape stairs as well as the three restoration rooms –the only rooms for which the program allowed large glazing– were located facing the street in order to be able to equip the building with a proper facade.

Alzados y dos detalles del exterior

Elevations and two details of the exterior

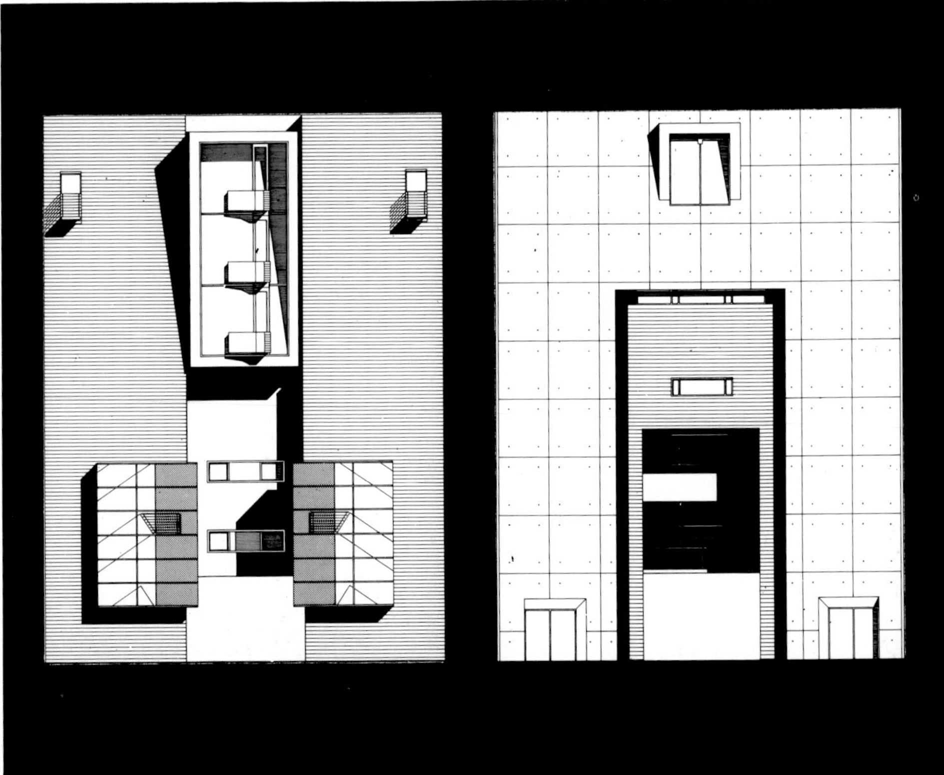

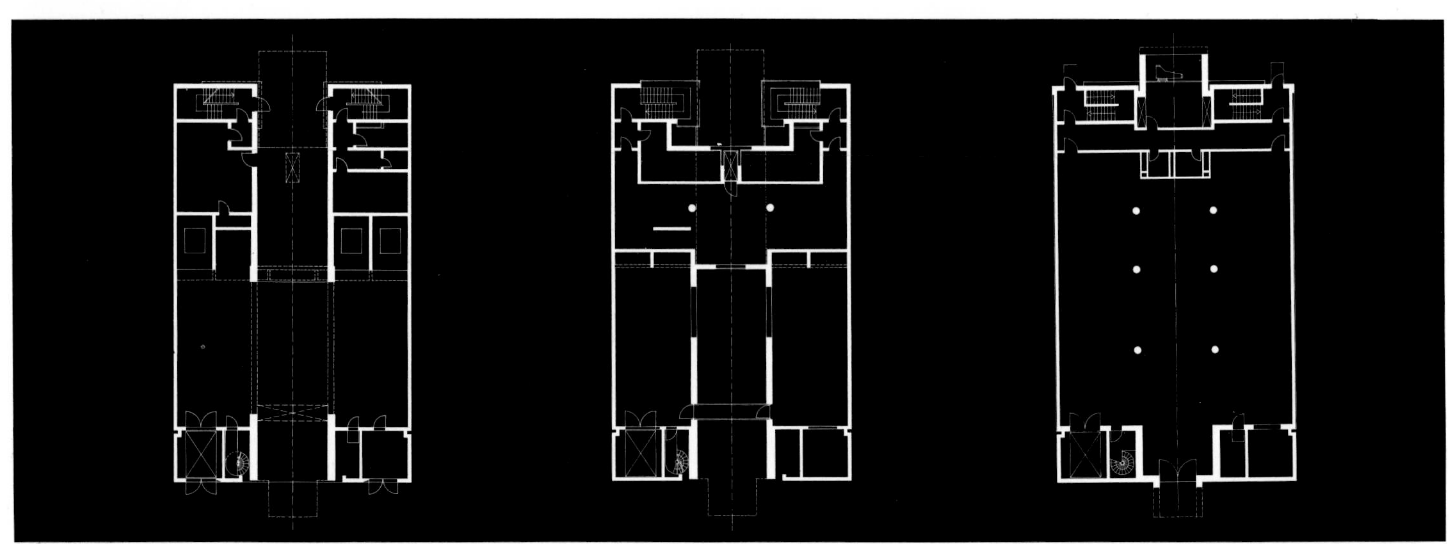

Páginas anteriores: plantas y dos fragmentos del exterior

Previous pages: plans and two partial views of the exterior

Diversas vistas y detalles del exterior

Various views and details of the exterior

Páginas siguientes: diversas vistas y detalle del exterior

Previous pages: various views and details of the exterior

1991-1993

Reforma de un edificio de viviendas, Goethestrasse núm. 10. Frankfurt am Main

A raíz de los daños causados por la guerra se habilitó en esta casa una cubierta plana de estilo moderno. La construcción original data de comienzos de siglo y recientemente se le restituyó al estado originario con una cubierta amansardada y un gablete de piedra arenisca en la fachada principal, así como ventanas correderas con marco de madera y amplios escaparates acristalados en la planta baja.

La restauración de esta clase de edificios en Frankfurt, ciudad que padeció tantos estragos durante y después de la guerra, se recibe con enorme entusiasmo por cuanto hoy en día no es posible alcanzar, ni en materiales constructivos ni en ejecución de la obra, las mismas cotas de calidad.

Conversion of a residential building, Goethestraße 10, Frankfurt am Main

Having been equipped provisionally with a modern-style flat roof in the wake of war damages, this residential building from the turn of the century has now been restored to its previous condition with a mansard roof and sandstone gable at the main facade, the original windows with wooden sash-bars and generously glazed shop windows at street level.

In a city like Frankfurt which suffered heavy damages during as well as after the war, the restoration of such buildings is considered particularly desirable in view of the fact that this high quality of materials and workmanship is almost impossible to achieve today.

Vistas del exterior del edificio antes y después de la reforma

Views of the exterior of the building before and after the reform

Einbahnstraße
Goethestr
10

1992

Mirador, Frankfurt am Main

Con anterioridad a la destrucción de la ciudad, acaecida en 1943, la tipología del mirador era un rasgo característico de la arquitectura de Frankfurt, que proporcionaba un espacio de estar adicional muy alegre y aireado.

Para transformar la cubierta amansardada de un ático en espacio habitable, se practicó en el desván un hueco de 5 x 5 m donde cupiera un mirador que, sobresaliendo por encima de la cubierta original, permitiría disfrutar de las magníficas panorámicas de los rascacielos del centro de la ciudad.

Belvedere, Frankfurt am Main

Before the destruction of the city in 1943, the typology of the "belvedere" was a characteristic feature of Frankfurt architecture, providing residents with an additional airy living space.

In order to turn a mansard roof into an attic dwelling, a 5 m x 5 m opening was cut into the loft to make room for a belvedere projecting above the old roof and offering a view of the high-rise towers in the city center.

Diversas vistas del montaje y del interior

Various views of the assembly and of the interior

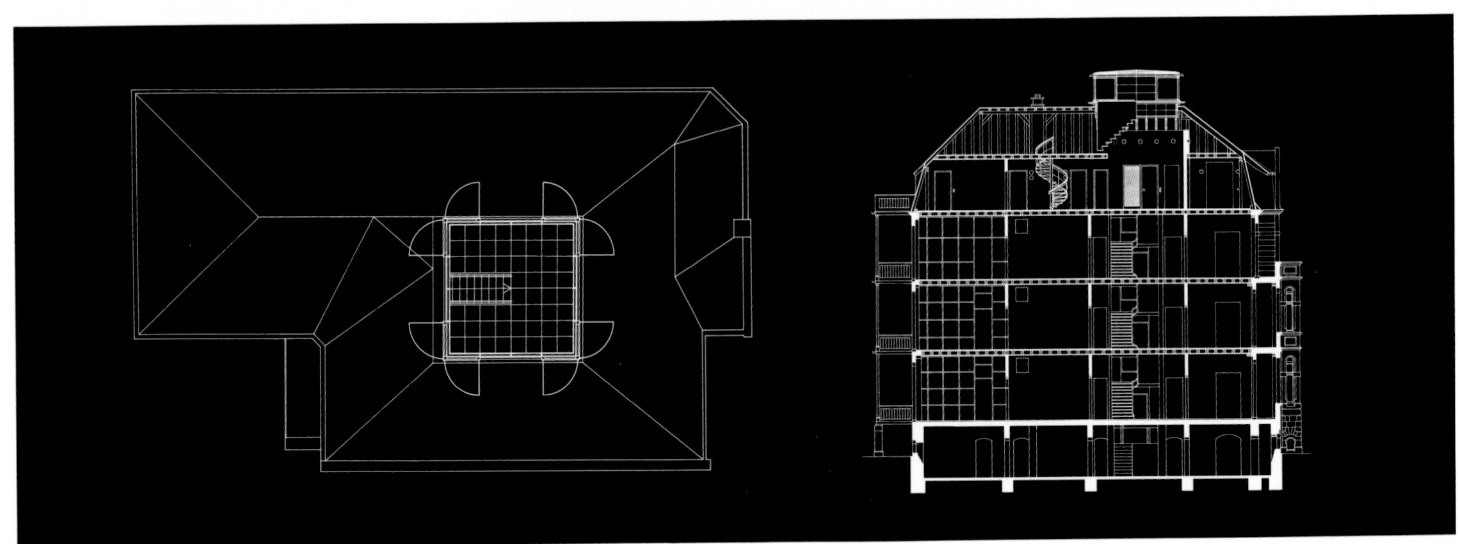

Planta, sección y dos vistas del interior

Plan, section and two views of the interior

'áginas siguientes: diversas vistas y detalles del
ıterior

*ollowing pages: various views and details of the
iterior*

1992

Edificio de oficinas, Eschborn, concurso

Cuando se construye en suburbios dispersos no siempre es útil valerse del bloque como método para crear espacios, pues es un elemento urbano extraño al tejido existente que resaltará en exceso.

Solamente se supera la alteración producida si el nuevo proyecto se diseña para que desarrolle, además, la función de nuevo centro del que nacerá un tipo nuevo de organización urbana.

Además de la ampliación de las plantas dedicadas a oficinas bancarias, se generó un espacio urbano mediante la repetición de edificios similares dispuestos en hilera y la incorporación de dos plantas bajo la calle.

Office buildings Eschborn, competition

When building in scattered suburbs, it is not always useful to use the block as a method of creating spaces because it stands out as an urban element foreign to the dispersed suburban fabric. This irritation can only be overcome if the new project is designed to also function as the new center of the place from which may emerge a new type of urban organization.

In addition to extending the office floors of a bank, an urban space was created by repeating similar buildings to form a row and adding a new two-storey, space-creating structure below the street.

Emplazamiento, plantas, alzado y perspectiva

Site plan, plans, elevations and perspective

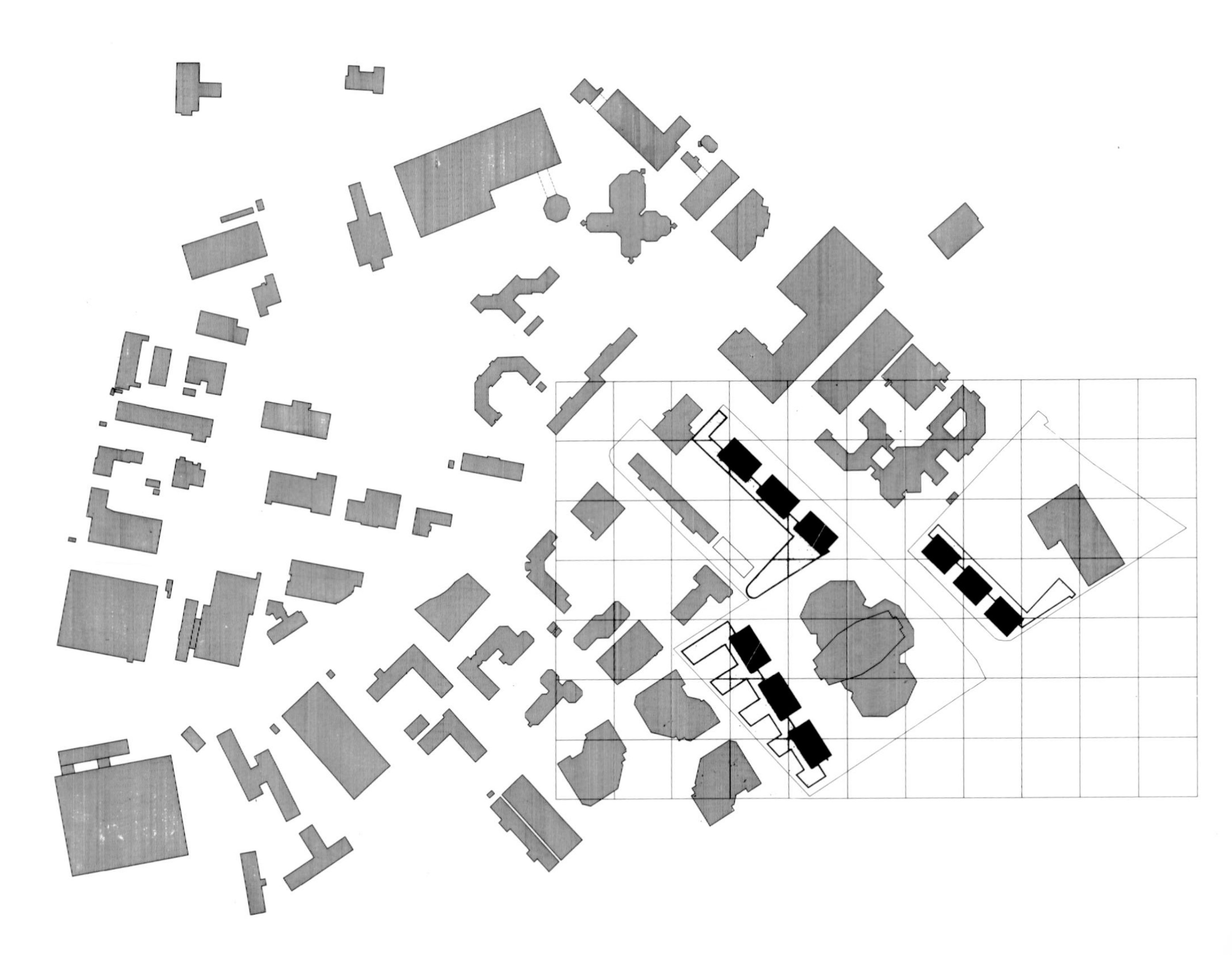

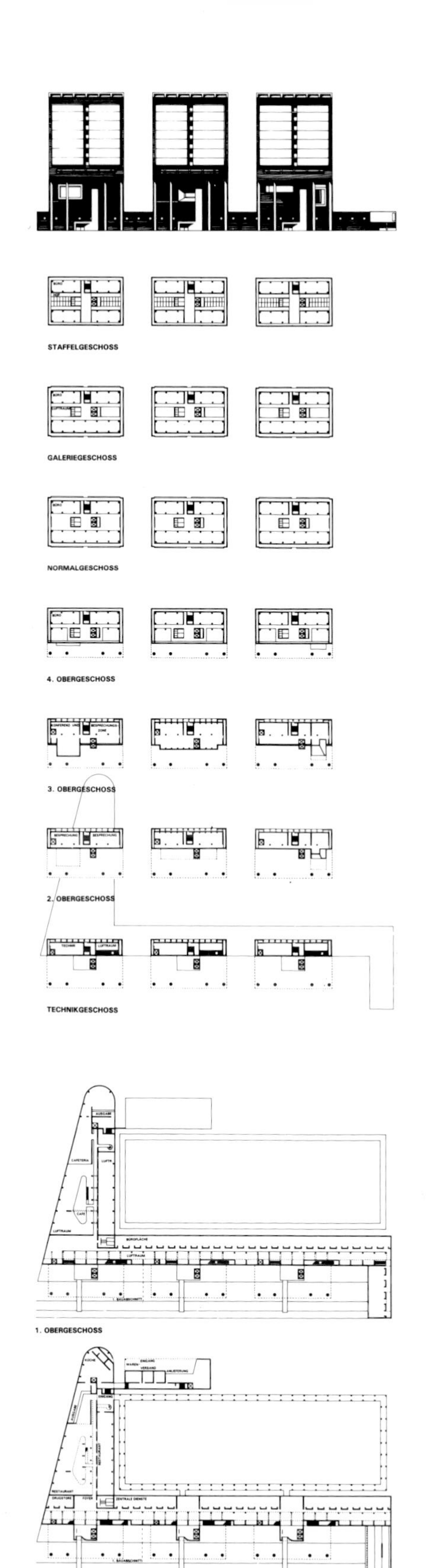
STAFFELGESCHOSS
GALERIEGESCHOSS
NORMALGESCHOSS
4. OBERGESCHOSS
3. OBERGESCHOSS
2. OBERGESCHOSS
TECHNIKGESCHOSS
1. OBERGESCHOSS
ERDGESCHOSS

1992

Centro de enseñanza Philipp-Holzmann, Frankfurt am Main, concurso

La construcción de un centro público de enseñanza dio la oportunidad de redefinir el carácter de un sector urbano en otro tiempo indeterminado.

La escuela es un edificio exento que ofrece a un entorno más bien heterogéneo sosiego y unidad. Se compone de dos partes:

– una base que cubre a lo ancho todo el terreno y que aloja los talleres más ruidosos del centro;

– un ala longitudinal donde se encuentran las aulas, cerrada en la orientación hacia la línea férrea y abierta al parque.

Philipp-Holzmann School, Frankfurt am Main, competition

The construction of a new public school provided an oportunity to redefine the character of a formerly nondescript surburban disctrict.

Designed as free-standing building, the school has a calming and unifying effect on the rather heterogeneous surroundings. It consists of two parts:

– a base covering the entire width of the site and housing the noisy workshops of the school

– a long wing which houses the classrooms, closed off towards the railway line but opening on to the park.

Plantas, alzados y perspectiva

Plans, elevations and perspective

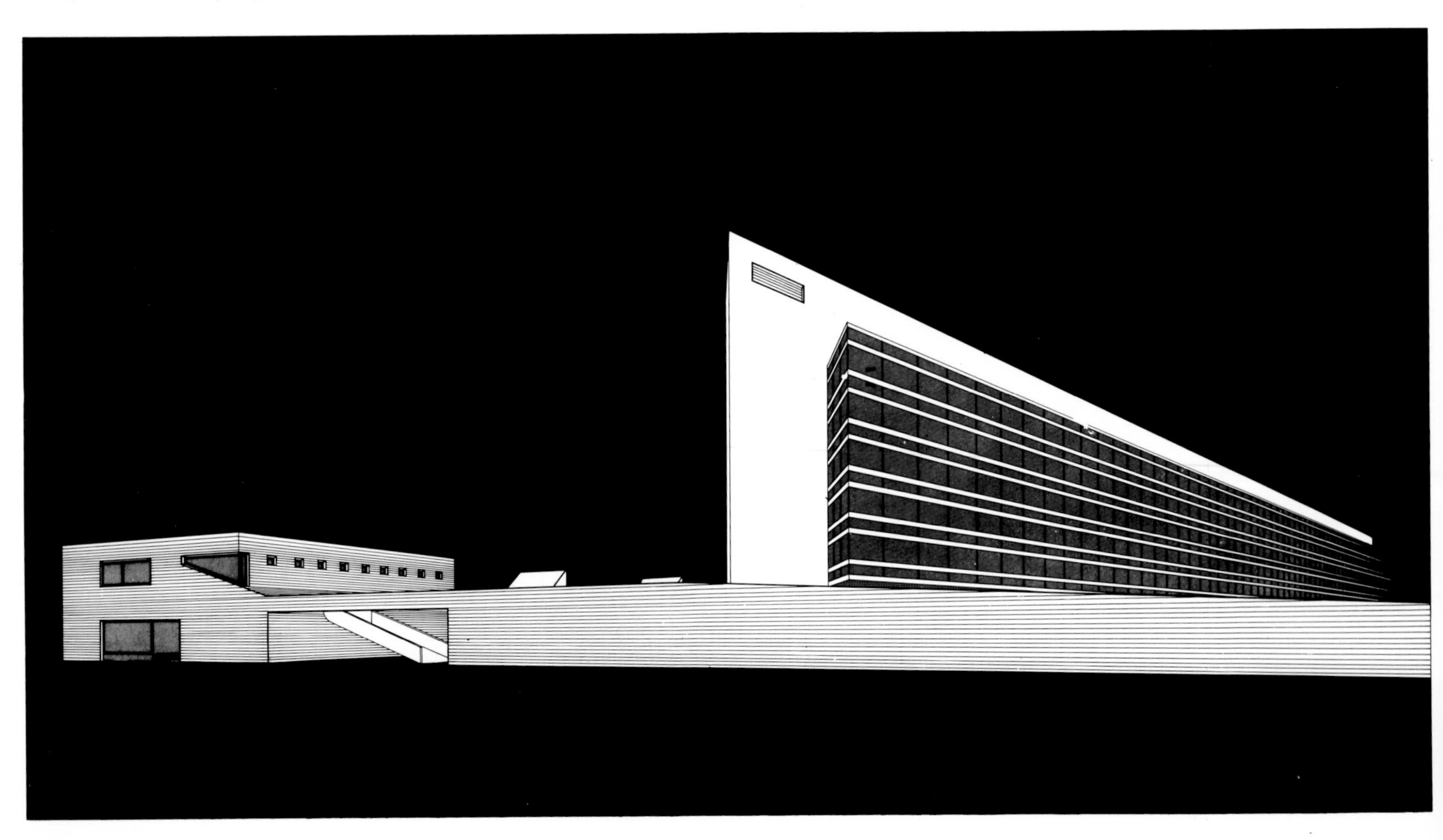

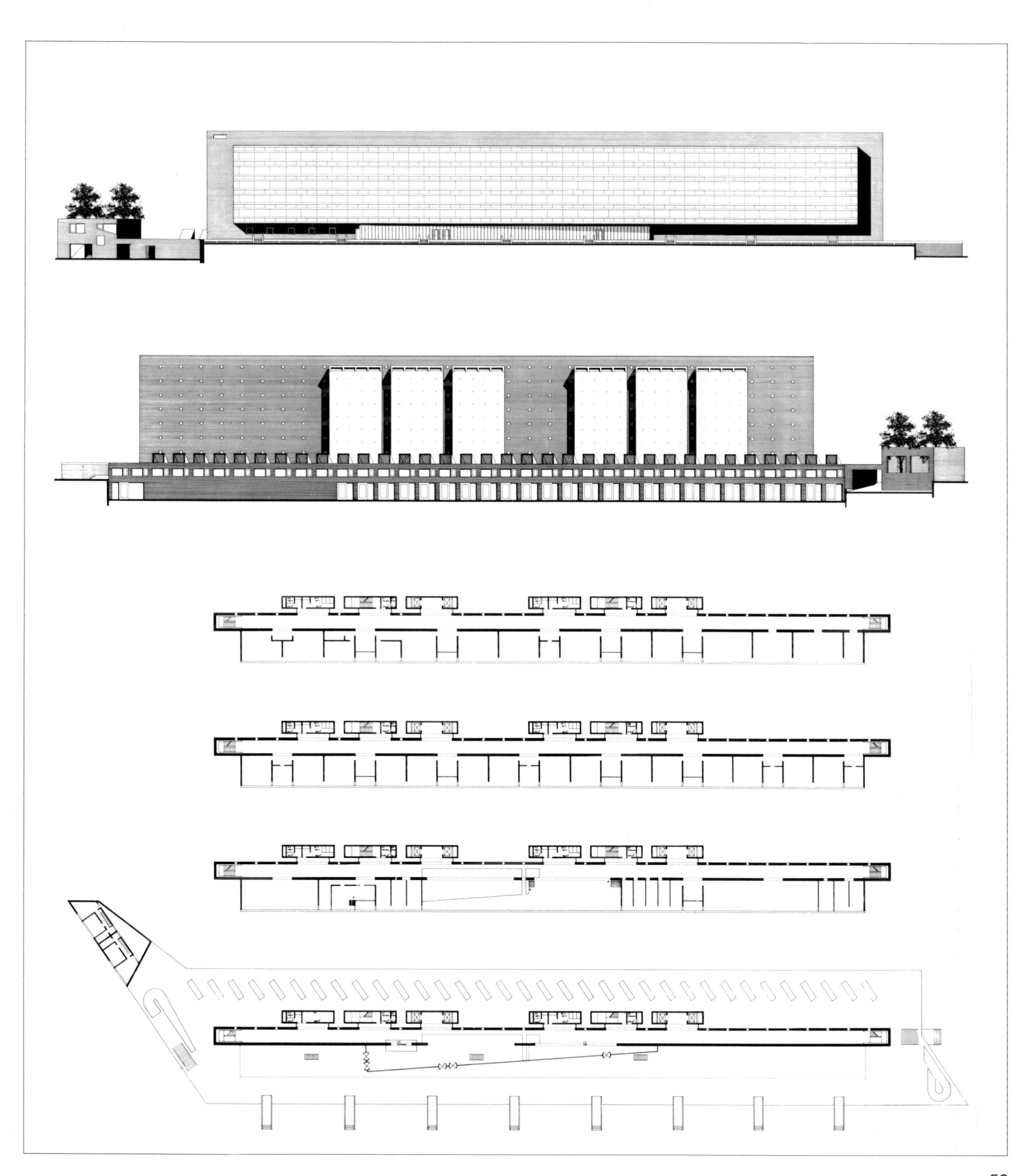

1992

Osthafen Frankfurt, exposición en el Deutsche Architekturmuseum, Frankfurt am Main

La eliminación del espacio viario y la disolución subsiguiente del modelo urbano de la manzana están llevando a la muerte a la antigua ciudad europea.

Para controlar la dispersión urbana y los problemas de tráfico que resultan, precisamos de un nuevo concepto de vivienda urbana suficientemente atractivo que procure una alternativa a la construcción de bloques aislados o entre medianeras de la ciudad.

La planificación de este sector urbano potencialmente nuevo, conservó las edificaciones existentes que sirvieron, a su vez, para sentar la base de algo también nuevo, fundamentado en una variante del modelo que en 1930 aplicó Ernst May en el plan de viviendas de Frankfurt. En este modelo se invirtió la distribución de zonas abiertas y de zonas edificadas a fin de crear un plan urbano y una porción de ciudad nueva.

Osthafen Frankfurt, exhibition at the Deutsche Architekturmuseum, Frankfurt am Main

With the elimination of the street space and the subsequent dissolving of the urban block pattern the old European type of city is dying. In order to check the development sprawl and the resulting traffic problems, we need a new concept for urban housing which is sufficiently attractive to provide an alternative to the construction of estate and terrace housing. In planning this potentially new part of the city, existing structures were preserved and used as the basis for something new, based on a variation of the pattern of Ernst May's Frankfurt housing scheme from the 1930s in wich the distribution of open and built-up areas was reversed in order to create a new urban townplan, a new part of town.

Emplazamiento-montaje fotográfico, plantas y diversas perspectivas

Site plan-photomontage, plans and various perspectives

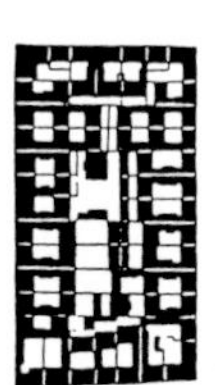
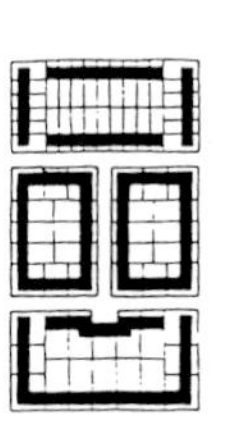
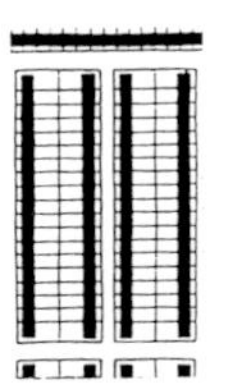
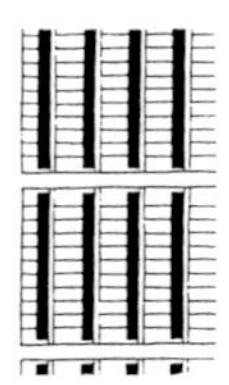
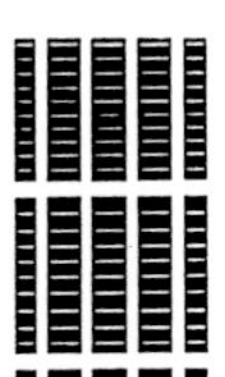

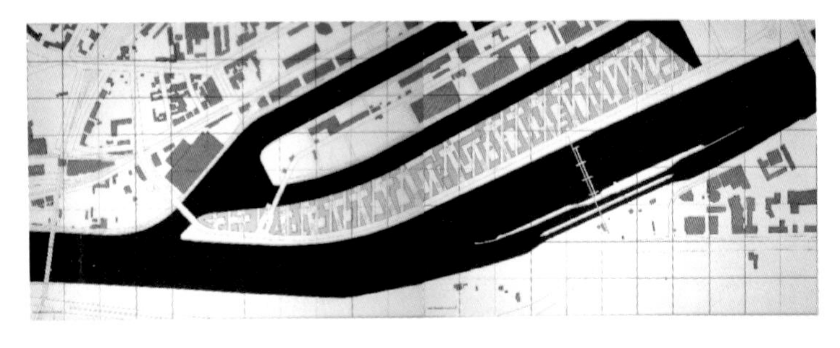
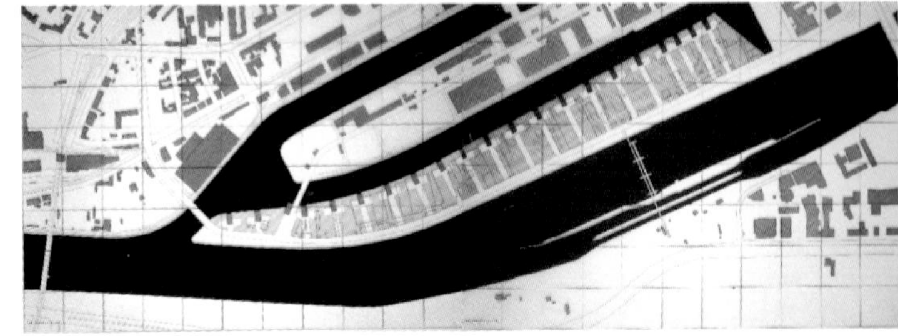

Diversos estudios del emplazamiento y vista aérea de la propuesta

Various studies of the site plan and aerial view of the proposal

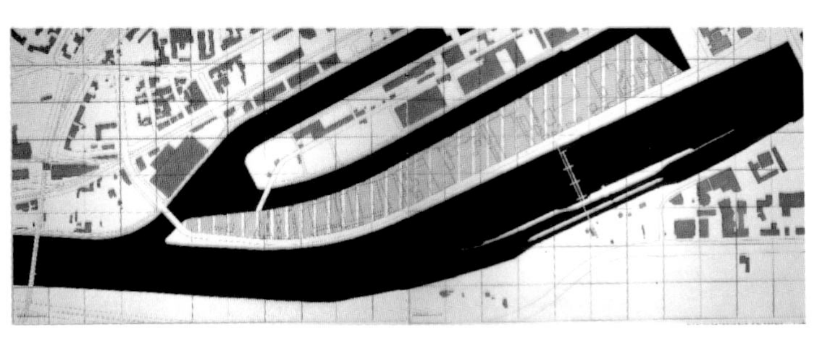

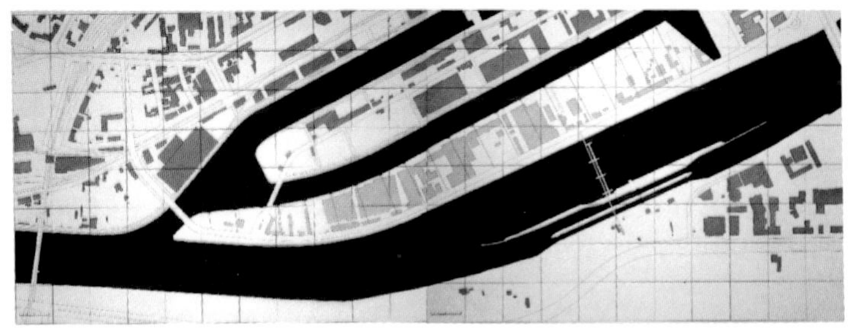

1992-1994

Torre de oficinas, Frankfurt am Main

Los edificios que poseen un concepto arquitectónico basado en una organización clara se pueden adaptar fácilmente a usos y niveles técnicos nuevos. En este caso, el edificio existente se construyó a principios de la década de los años sesenta.

El objetivo a conseguir rediseñando el edificio fue la mejora y puesta al día de las plantas de oficinas y de las instalaciones técnicas. La planta desván y algunas ampliaciones se demolieron y del resto sólo se conservó la estructura portante.

Office Block, Frankfurt am Main

Buildings whose architectural concept is based on a clear organization can be easily adapted to new uses and technical standards. The existing office tower was first erected in the early 1960s.

The aim of redesigning the building was to upgrade the office floors and technical installations to meet the latest standards. The tower was gutted down to the load-bearing structure, the attic storey and some of the extensions were demolished.

Alzado y vista exterior

Elevation and view of the exterior

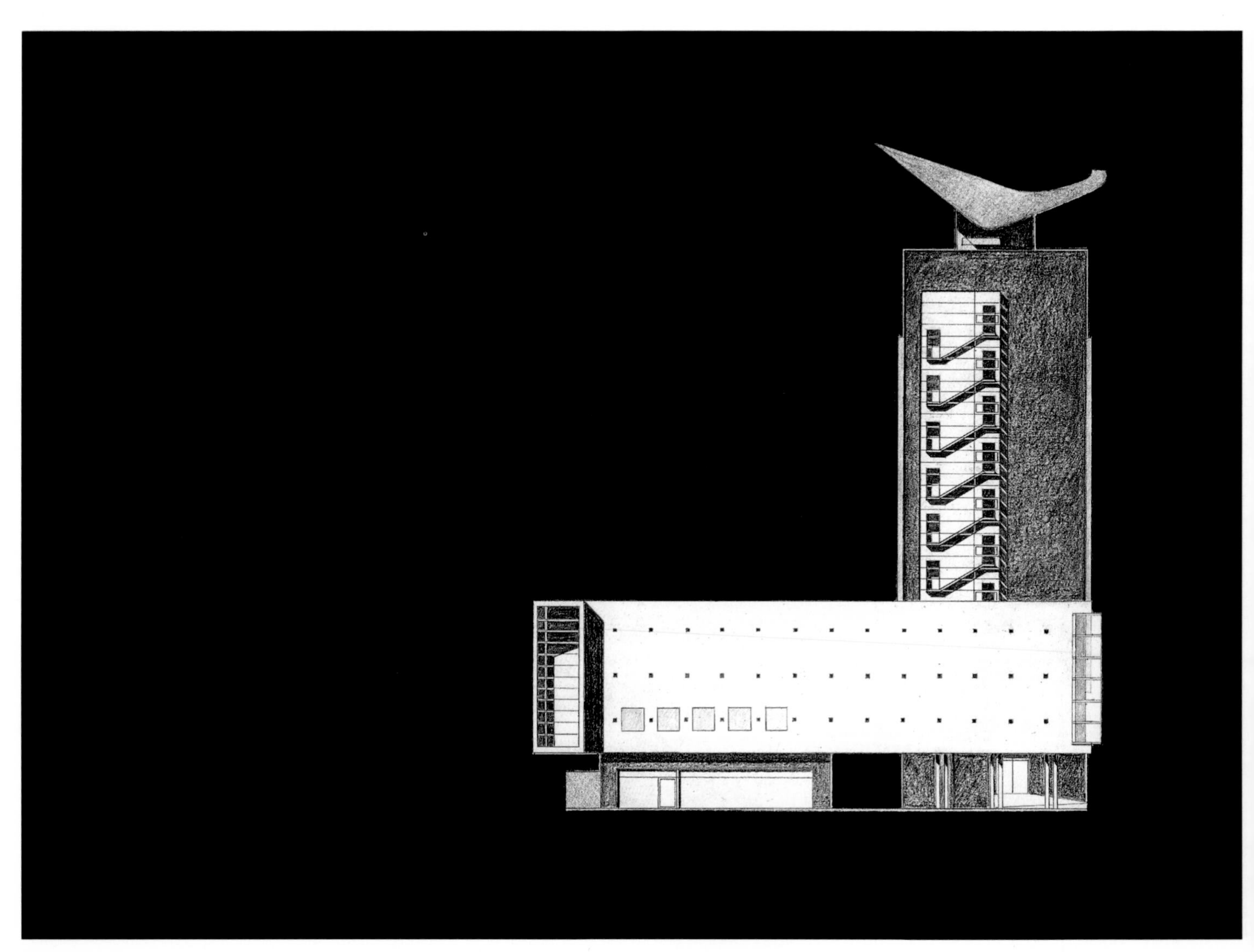

Páginas siguientes: emplazamiento, planta, sección y diversos fragmentos de las fachadas

Following pages: site plan, plan, section and various partial views of the facades

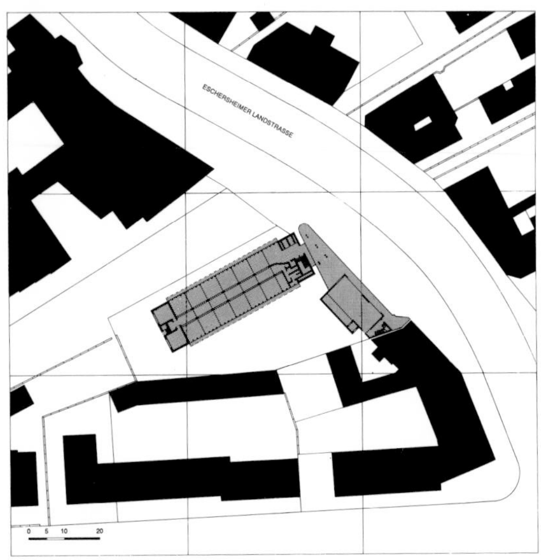
ESCHERSHEIMER LANDSTRASSE
0 5 10 20

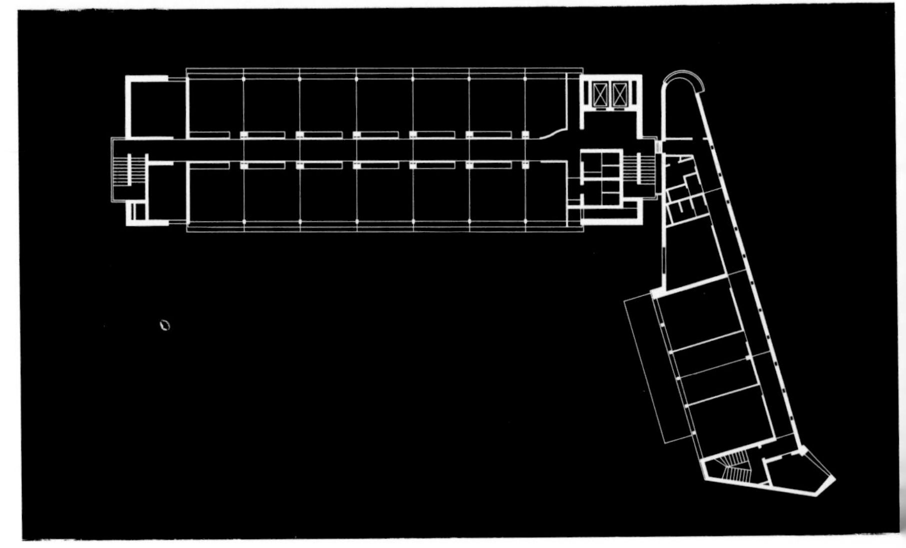

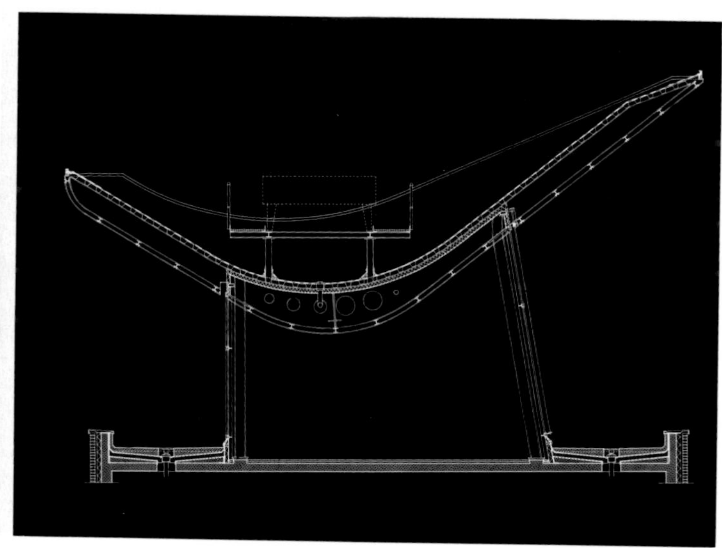

Detalle axonométrico y diversas vistas de la fachada acristalada

Axonometric detail and various view of the glazed facade

Páginas siguientes: diversas vistas y detalles

Following pages: various views and details

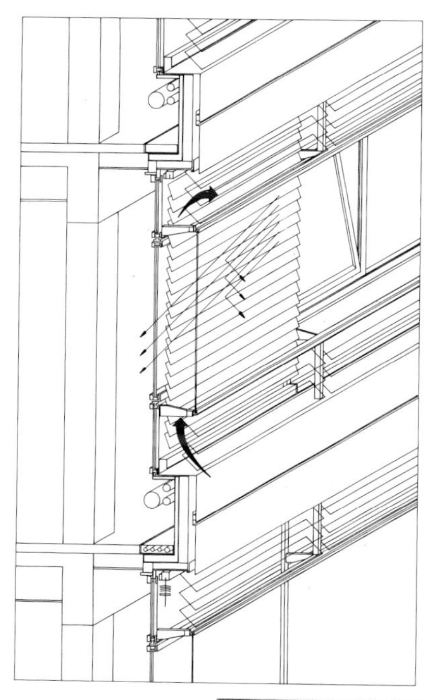

AT&T

1992-1995

Centro cultural y comercial, Lindencorso, Berlín

Situado en la Unter den Linden del centro histórico berlinés, este edificio merece consideración y cuidado singulares en lo que al diseño de su presencia arquitectónica se refiere.

En cuanto a la textura urbana del Friedrichstadt y a los edificios vecinos de piedra que pueblan el casco antiguo de la ciudad, la nueva construcción tendrá el sello de discreción que caracteriza la manzana berlinesa.

La fachada se articula de manera que refleje el contexto urbano inmediato y las funciones desarrolladas en su interior. El pórtico de dos plantas de altura, que da a la Friedrichstrasse, acogerá al Café Bauer. Por su parte, los locales comerciales que se abren a la Unter den Linden quedarán integrados en la base articulada del edificio.

Los paramentos exteriores se revestirán con piedra caliza, traída de la región de Elm, que contrastará con la afiligranada carpintería metálica de las ventanas.

Cultural and Commercial Center, Lindencorso, Berlin

Located at Unter den Linden in the historic center of Berlin, this building deserves particular consideration and care in designing its architectural apperence.

In keeping with the urban texture of the Friedrichstadt and the neighboring stone buildings in the old city center, the new structure will have the appropriate unobstrusive character of a typical Berlin city block.

The facade is articulated in such a way as to reflect its immediate urban context as well its interior functions. The double-storey arcade facing Friedrichstraße will house the café Bauer. The upscale retail areas at Unter den Linden will be integrated into the clearly articulated base of the building.

The structure will have be faced with a stone facade of limestone from the nearby Elm region. The windows will have slender metal frames contrasting with the massive stone facade of the building.

Perspectiva y fragmento de la propuesta

Perspective and various views of the proposal

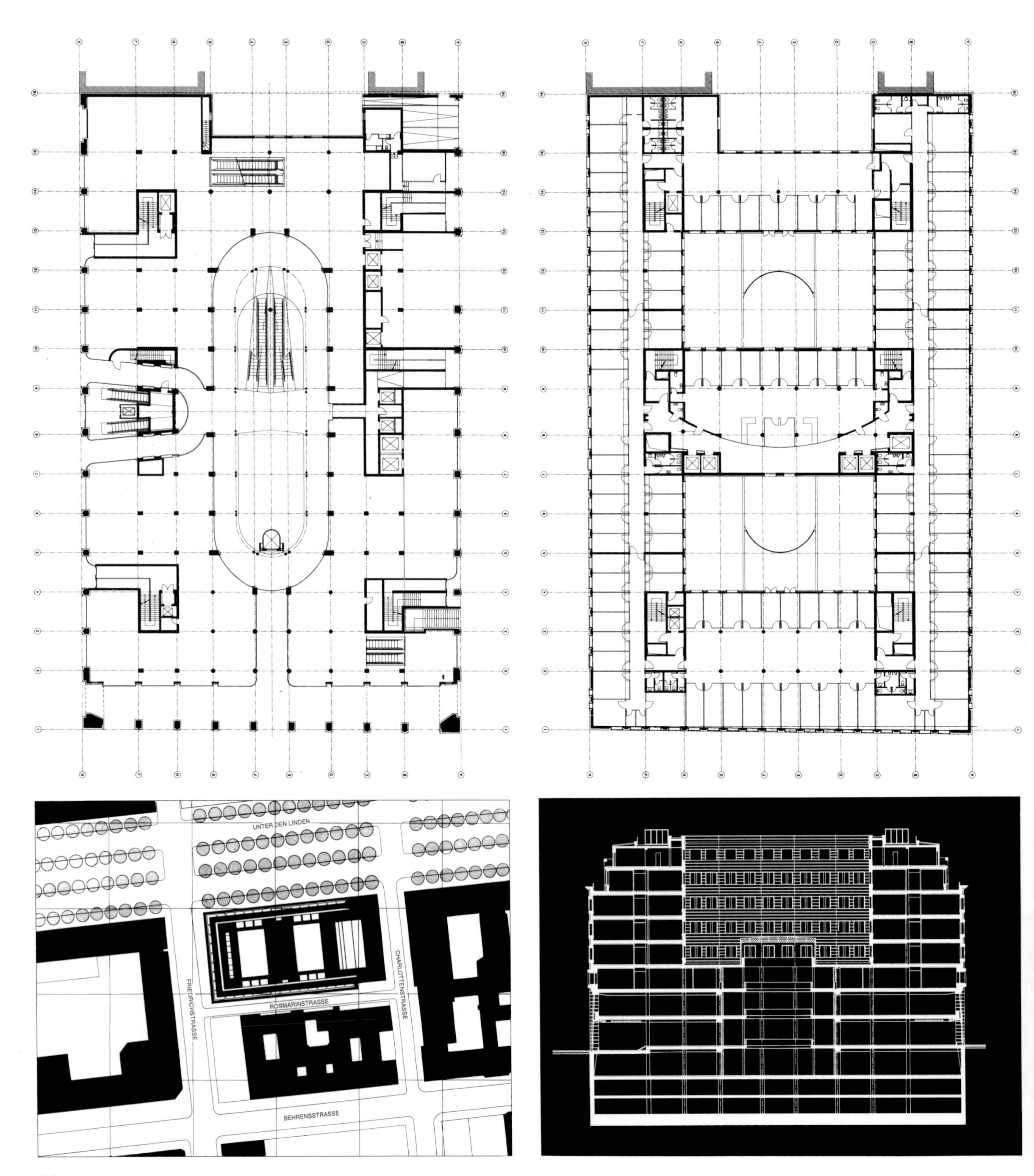
UNTER DEN LINDEN
FRIEDRICHSTRASSE
CHARLOTTENSTRASSE
ROSMARINSTRASSE
BEHRENSSTRASSE

Emplazamiento, plantas, sección y diversos estudios de la fachada en relación a la propuesta definitiva

Site plan, plans, section and various studies of the facade

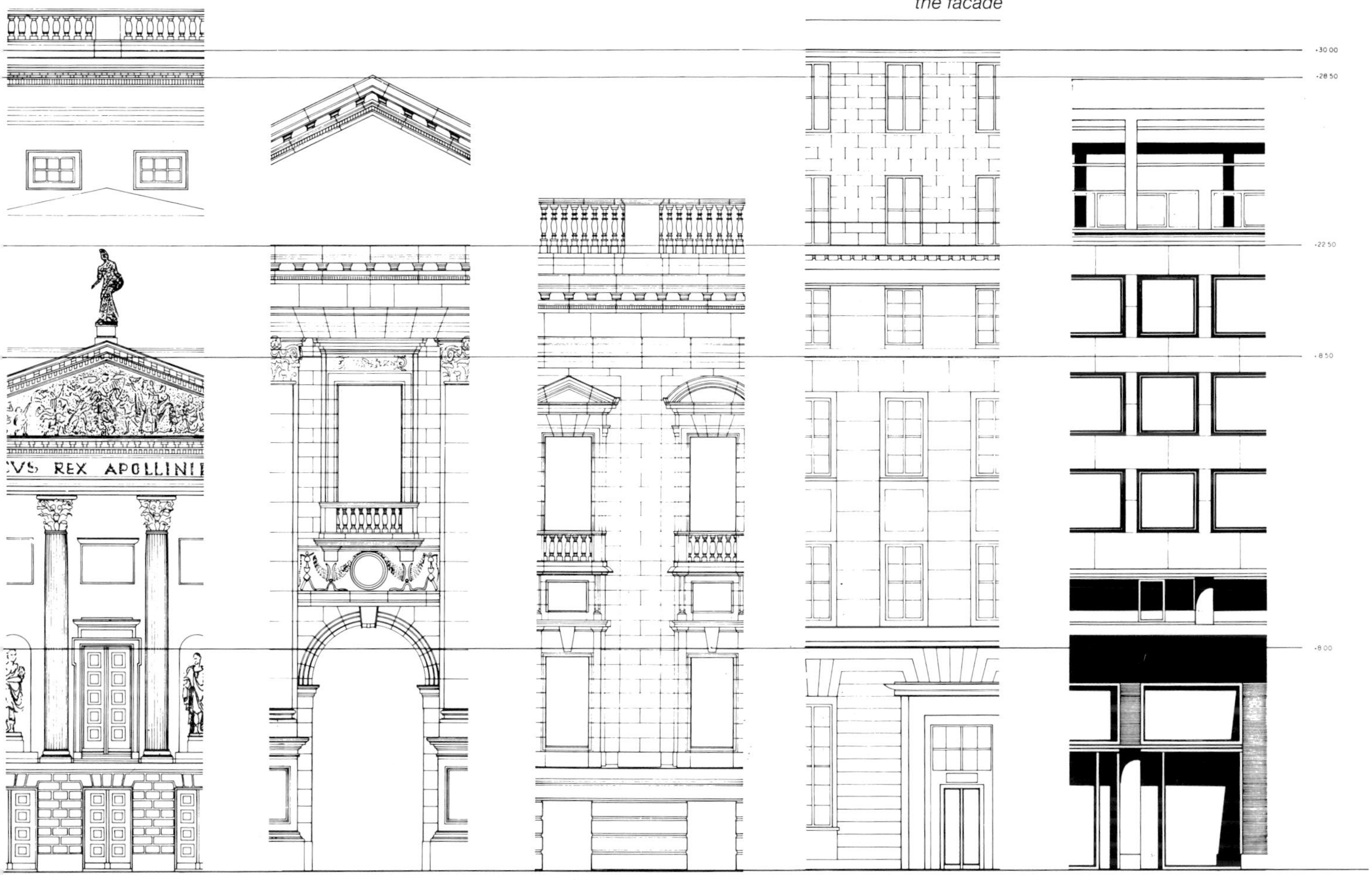

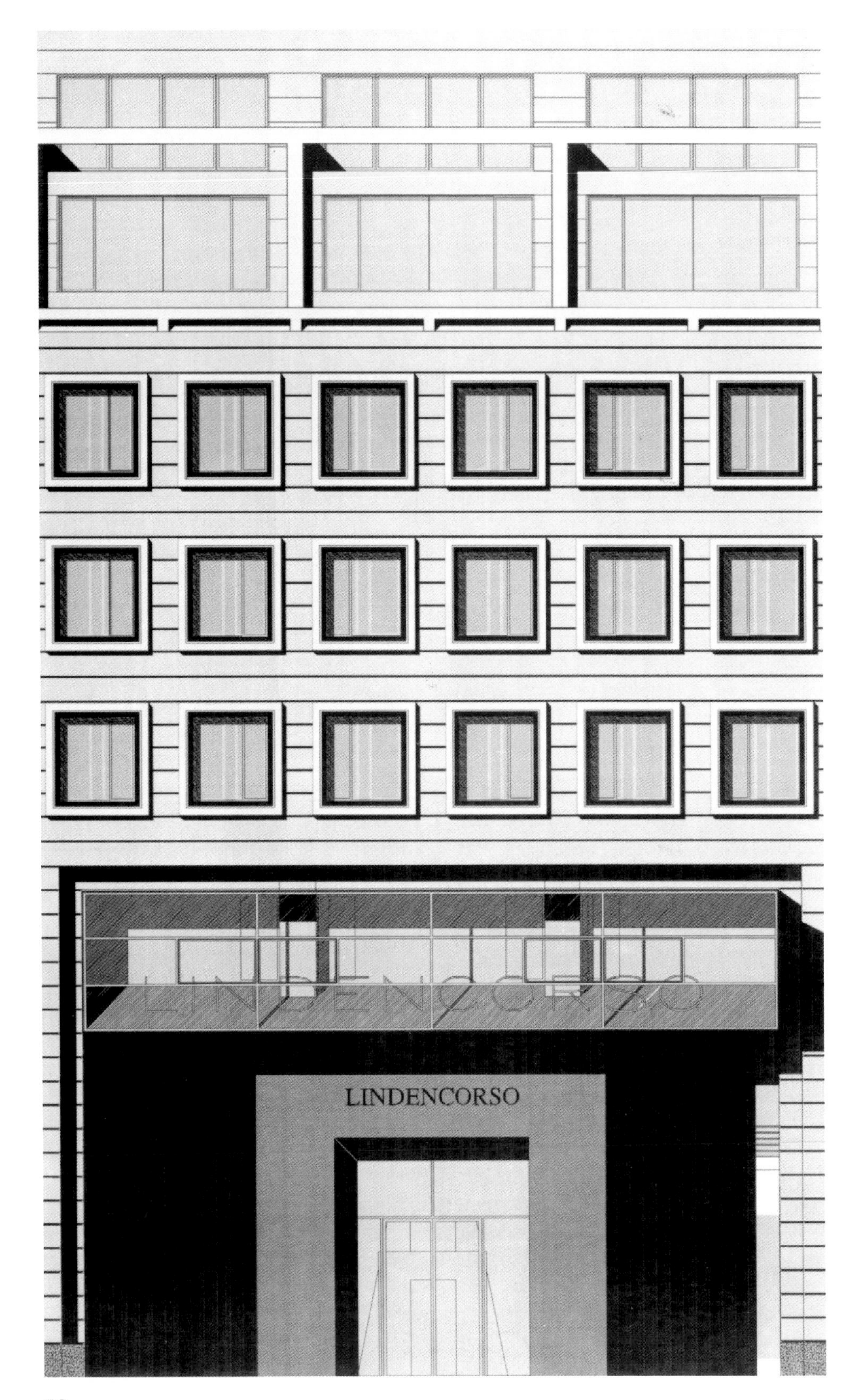
LINDENCORSO
LINDENCORSO

Dos estudios de posibles soluciones para la fachada

Studies of two possible solutions for the facade

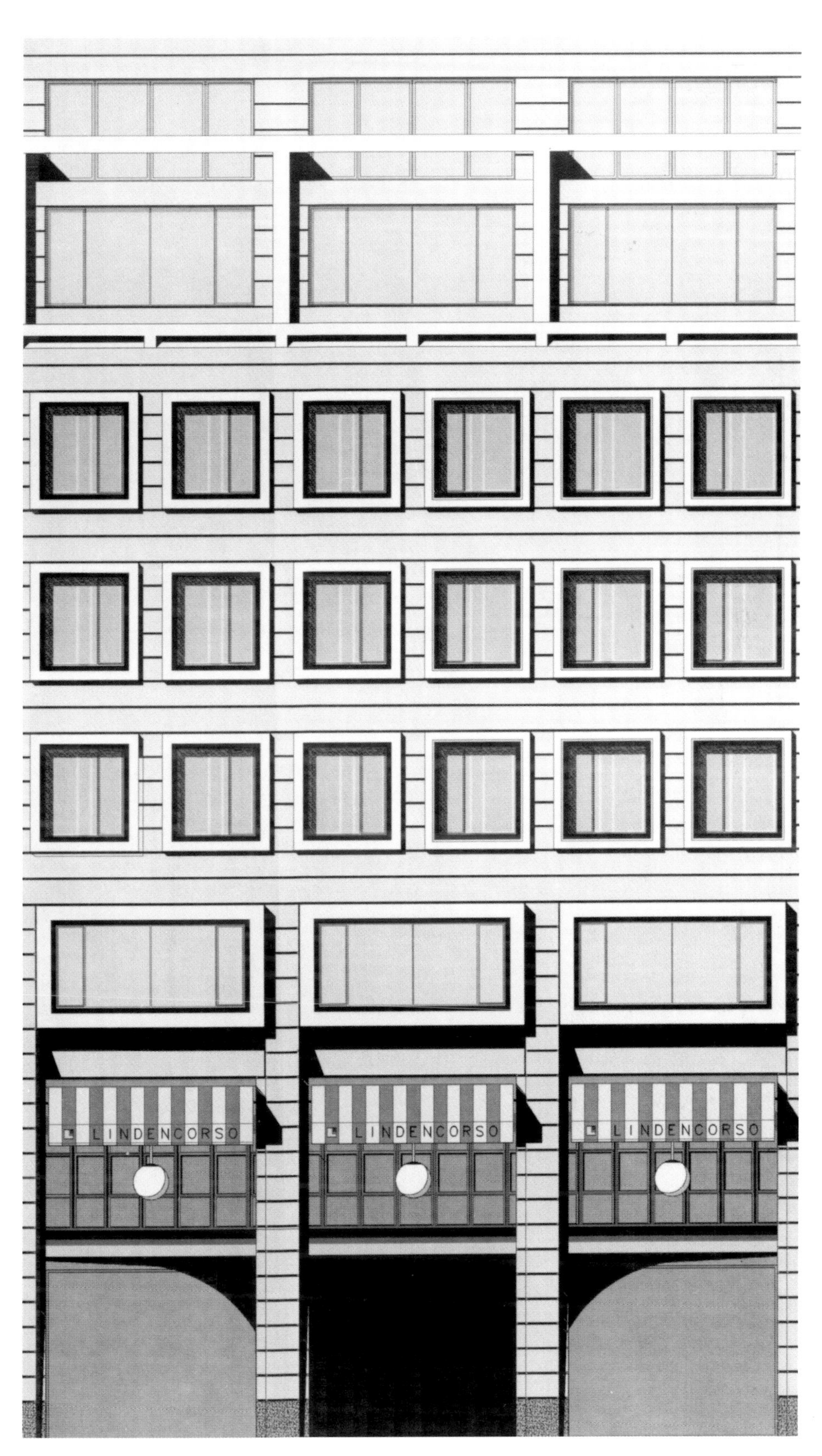

1993

Oficinas centrales de la Stadtreinigung, Frankfurt am Main, concurso

En unos terrenos industriales abandonados del Osthafen de Frankfurt e integrando varios edificios que Peter Behrens realizó a principios de siglo, había que levantar la sede del Servicio de Saneamiento de esta ciudad.

En respuesta al heterogéneo desarrollo industrial de los alrededores se propuso un proyecto unitario centrado en torno a un amplio patio, con los talleres localizados en un edificio aislado.

En el programa se considera la conservación de los edificios de Peter Behrens, si bien se les habilita para otros usos. Las ampliaciones tienen formas arquitectónicas discretas que, resueltas exteriormente con fábrica de ladrillo de escoria, armonizan con el contexto y contribuyen a que el conjunto ofrezca una fisonomía común.

Headquarters of the Stadtreinigung, Frankfurt am Main, competition

A new headquarters for the city's sanitation service was to be built in the Osthafen area of Frankfurt on an abandoned industrial site, integrating a number of listed buildings by Peter Behrens dating from the beginning of the century. Responding to the heterogeneous industrial development surrounding the site, a unified scheme was proposed, centered around a spacious courtyard with the workshops located in a solitary building.

The buildings designed by Peter Behrens are preserved and converted to new uses. The new additions with their unassuming architectural form and clinker brickwork harmonize with the context and contribute to a unified appearance of the entire complex.

Plantas, alzados, sección y perspectiva

Plans, elevations, section and perspective

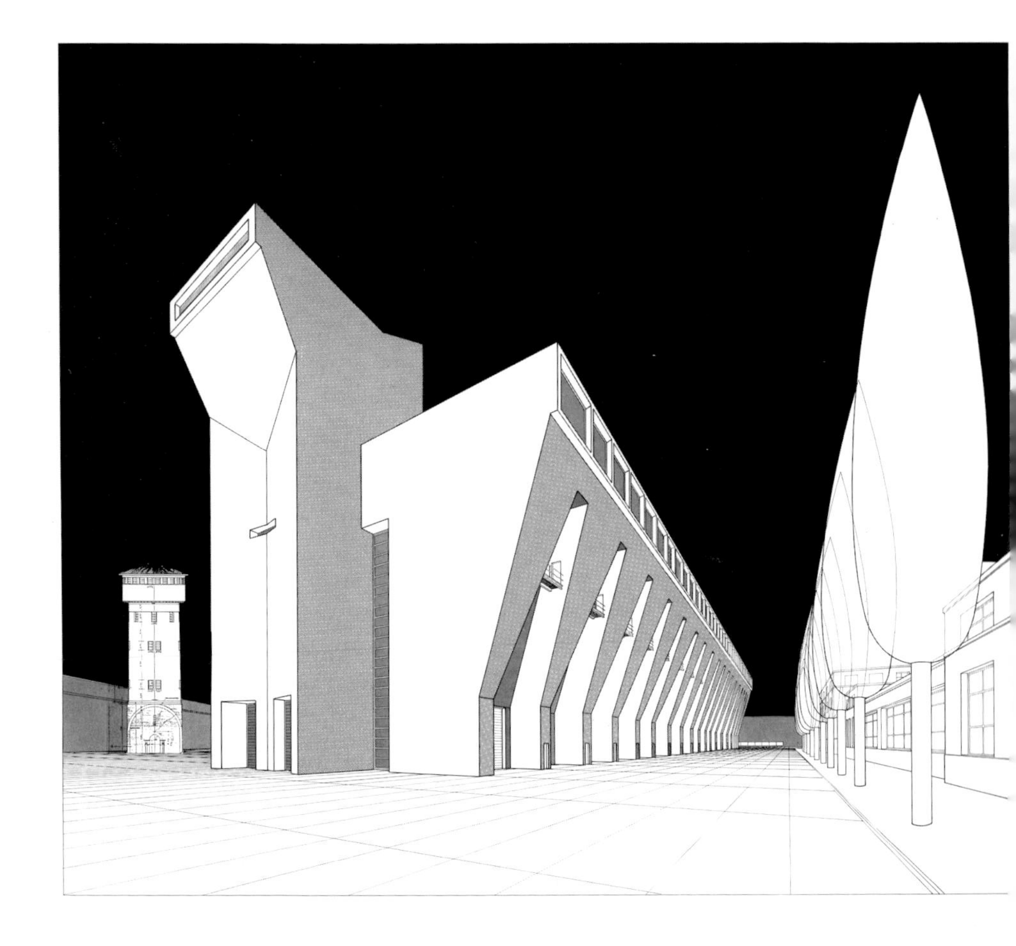

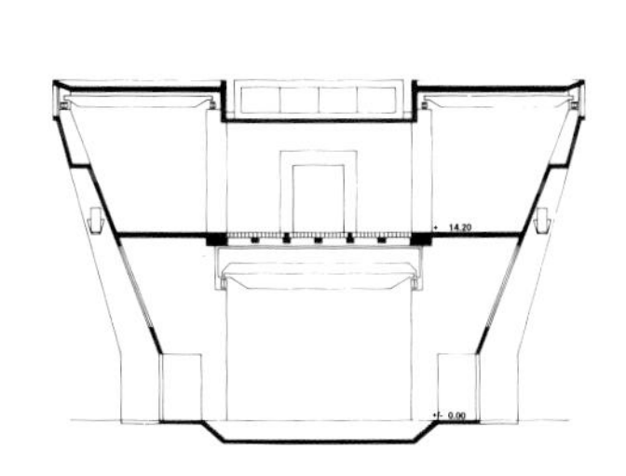
14.20
+/- 0.00

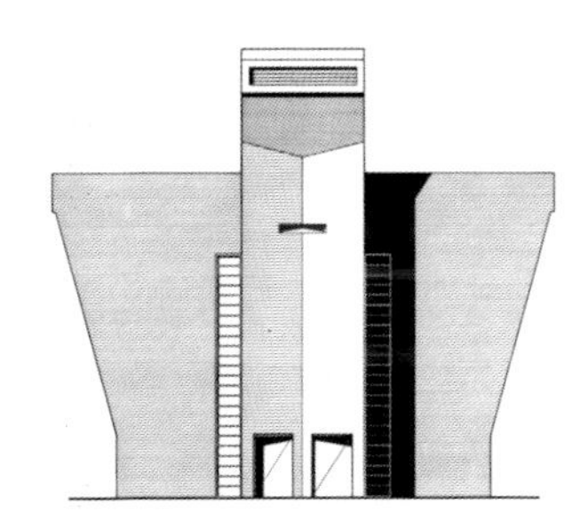

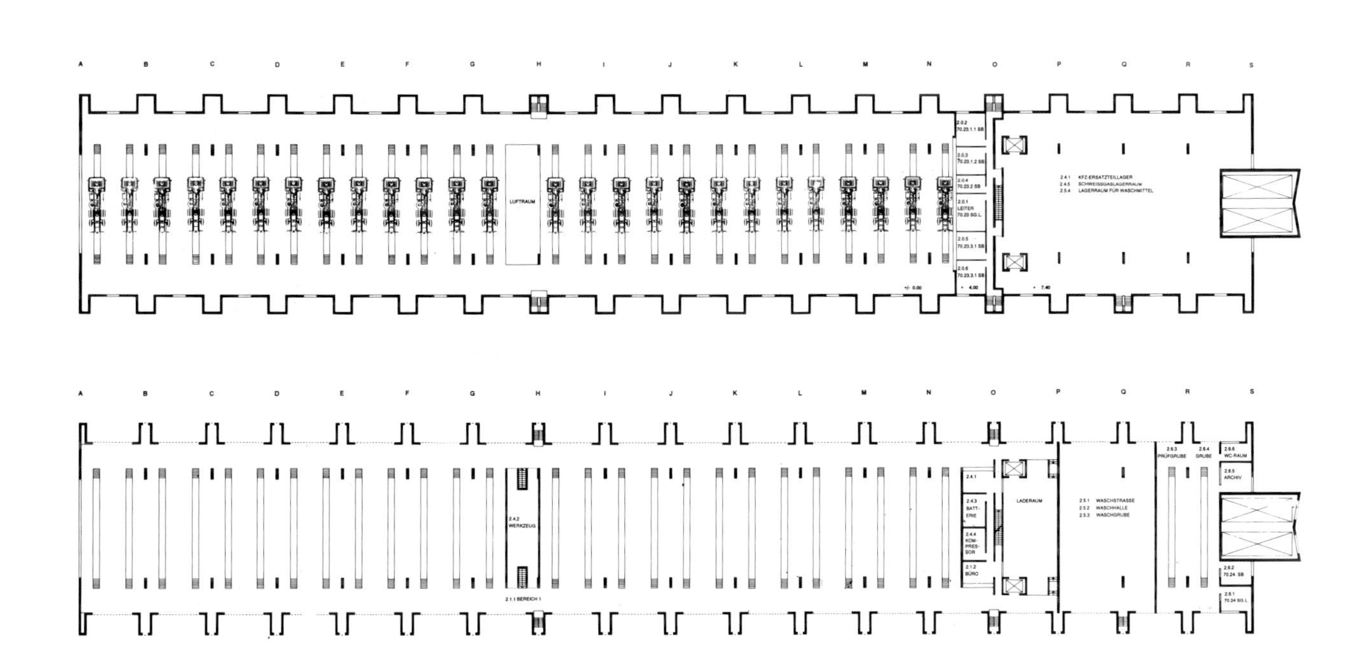
A B C D E F G H I J K L M N O P Q R S
LUFTRAUM
2.0.2
70.23.1.1 SB
2.0.3
70.23.1.2 SB
2.0.4
70.23.2 SB
2.0.1
LEITER
70.23 SG.L.
2.0.5
70.23.3.1 SB
2.0.6
70.23.3.1 SB
+/- 0.00
+ 4.00
+ 7.40
2.4.1 KFZ-ERSATZTEILLAGER
2.4.5 SCHWEISSGASLAGERRAUM
2.5.4 LAGERRAUM FÜR WASCHMITTEL
A B C D E F G H I J K L M N O P Q R S
2.4.2
WERKZEUG
2.1.1 BEREICH 1
2.4.1
2.4.3
BATT-
ERIE
2.4.4
KOM-
PRES-
SOR
2.1.2
BÜRO
LADERAUM
2.5.1 WASCHSTRASSE
2.5.2 WASCHHALLE
2.5.3 WASCHGRUBE
2.6.3
PRÜFGRUBE
2.6.4
GRUBE
2.6.6
WC-RAUM
2.6.5
ARCHIV
2.6.2
70.24. SB
2.6.1
70.24 SG.L.

1993

Centro de enseñanza secundaria, Berlin-Hellersdorf, concurso

Cuando se construyen edificios públicos en los tristes suburbios que se hicieron en tiempos de la antigua República Democrática Alemana como es el caso de esta escuela, se impone que tengan una potencia arquitectónica propia capaz de hacerlos actuar como si de centros urbanos se tratara.

Fruto de sus dimensiones y de la forma rítmica, mediante las cuales se delimita la zona de viviendas en su frontera con el paisaje vecino, esta construcción de ladrillo cumple tal requisito.

Secondary School, Berlin-Hellersdorf, competiton

When erecting public buildings such as this school in the bleak surburbs of Berlin built in the time of the former GDR, they need to have an architectural force of their own to be able to function as urban centers.

The enfolded brick structure meets this requirement by virtue of its dimensions and rhythmic form, defining the boundary of the housing area where it meets the surounding landscape.

Emplazamiento, plantas y perspectiva

Site plan, plans and perspective

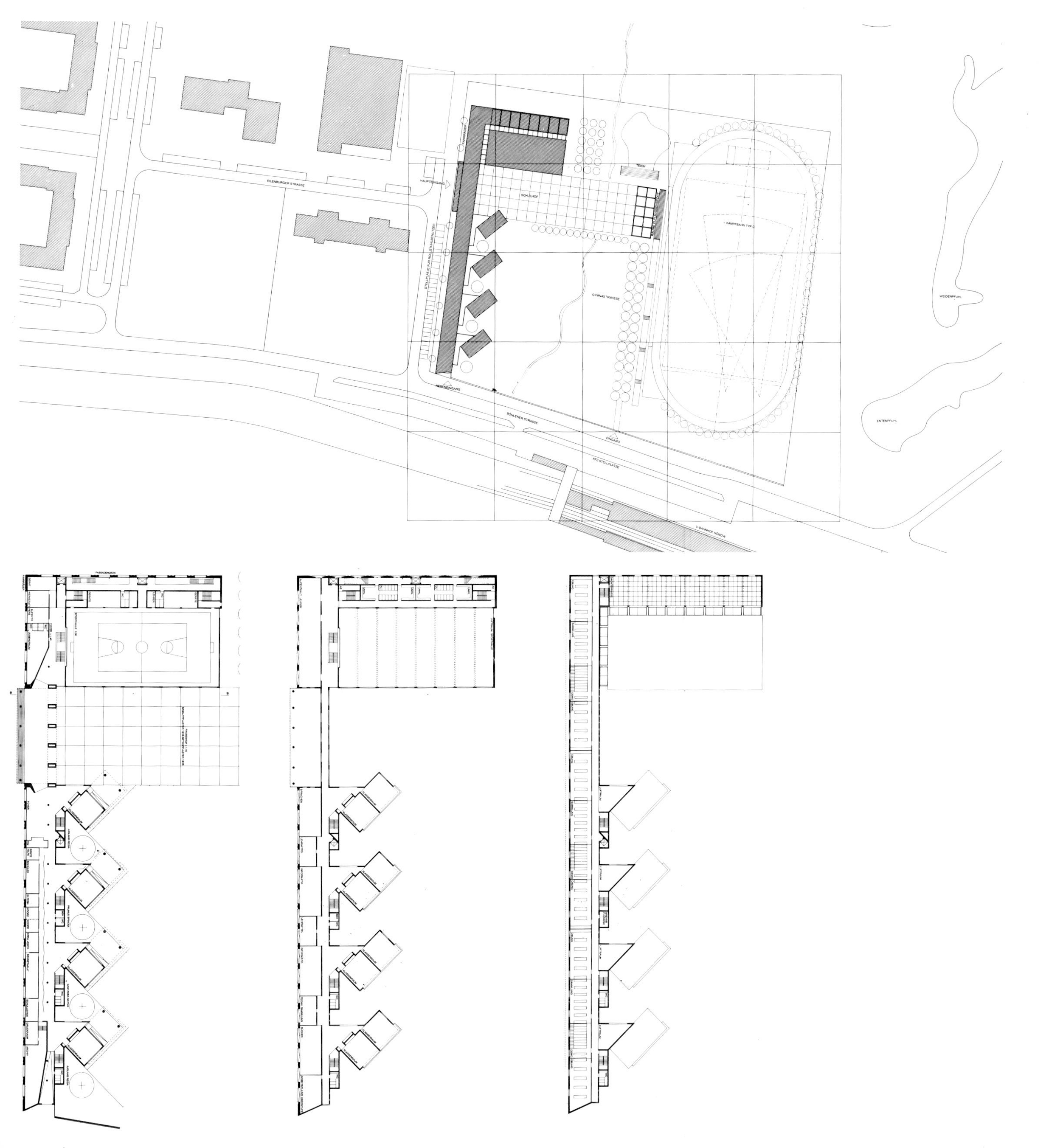
EILENBURGER STRASSE
HAUPTEINGANG
SCHULHOF
TEICH
GYMNASTIKWIESE
BÖHLENER STRASSE
EINGANG
WEIDENPFUHL
ENTENPFUHL

1993-1995

Ampliación de una vivienda, Constanza

La obra consiste en ampliar una bodega del siglo dieciséis, ya convertida en vivienda, para que pueda albergar una familia con cinco hijos.

La construcción existente se complementará con otra independiente cuya fachada más estrecha mirará al lago; así, aquélla seguirá presidiendo el conjunto cuando se divise desde el agua.

La morfología moderna de la ampliación ni se somete ni rivaliza con la construcción originaria.

Residential Annex, Konstanz

An old winery dating from the sixteenth century, converted to a family residence, was to be expanded for a family with five children.

The listed building will be supplemented with a separate new structure which will be placed with the narrow side facing the lake so that the winery will continue to dominate the ensemble when viewed from the water.

The modern form of the new building will neither bow to the existing structure nor compete with it.

Planta y perspectivas de la ampliación

Plan and perspectives of the extension

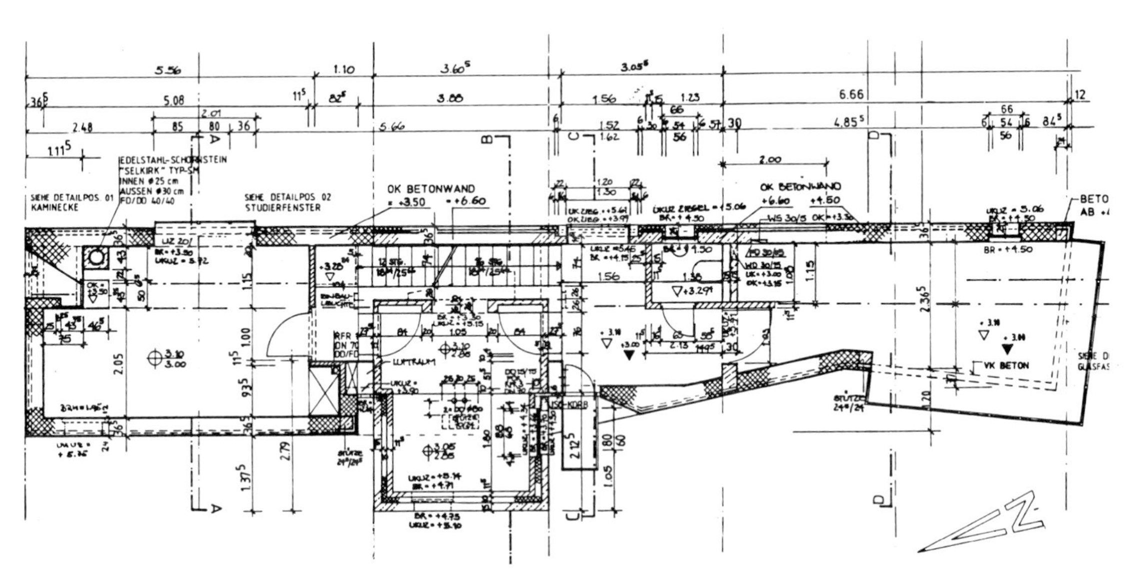
EDELSTAHL-SCHORNSTEIN
"SELKIRK" TYP-SM
INNEN Ø25 cm
AUSSEN Ø30 cm
SIEHE DETAILPOS. 01
KAMINECKE
SIEHE DETAILPOS. 02
STUDIERFENSTER
OK BETONWAND
OK BETONWAND
LUFTRAUM
VK BETON

1994

Sede presidencial, Schloss Bellevue, concurso

A lo largo de siglos y hasta bien entrado nuestro tiempo, los edificios asociados a los poderes laicos y eclesiales se rediseñaron, derruyeron o ampliaron con arreglo a las exigencias funcionales de cada período. El Palacio Bellevue tampoco escapó a esta circunstancia y le sobrevinieron los cambios siguientes, teniendo en consideración que los restos de la fachada original datan del año 1787:
- 1938: reforma en casa de huéspedes del Reich
- 1945: destrucción por efecto de un bombardeo
- 1958: reconstrucción y nueva fachada sur
- 1988: reforma

Se está ampliando el palacio, según un estilo prosaico, con una edificación acabada en estuco y con jambas de piedra.

Presidential office, Schloss Bellevue, competition

Throughout the centuries and well into our time, buildings of ecclesiastical and secular powers have always been redesigned, demolished, added to or extended whenever funtional requirements demanded it. This also applies to Bellevue Palace which underwent several changes:
–remnants of the old facade dating back to 1787
–conversion to a guest house of the Reich in 1938
–destruction by bombs in 1945
–reconstruction and new south facade of 1958
–renovation in 1988.
Correspondingly the place is being extended in a matter-of-fact style with stucco building with stone jambs.

Plantas, alzado y secciones

Plans, elevation and sections

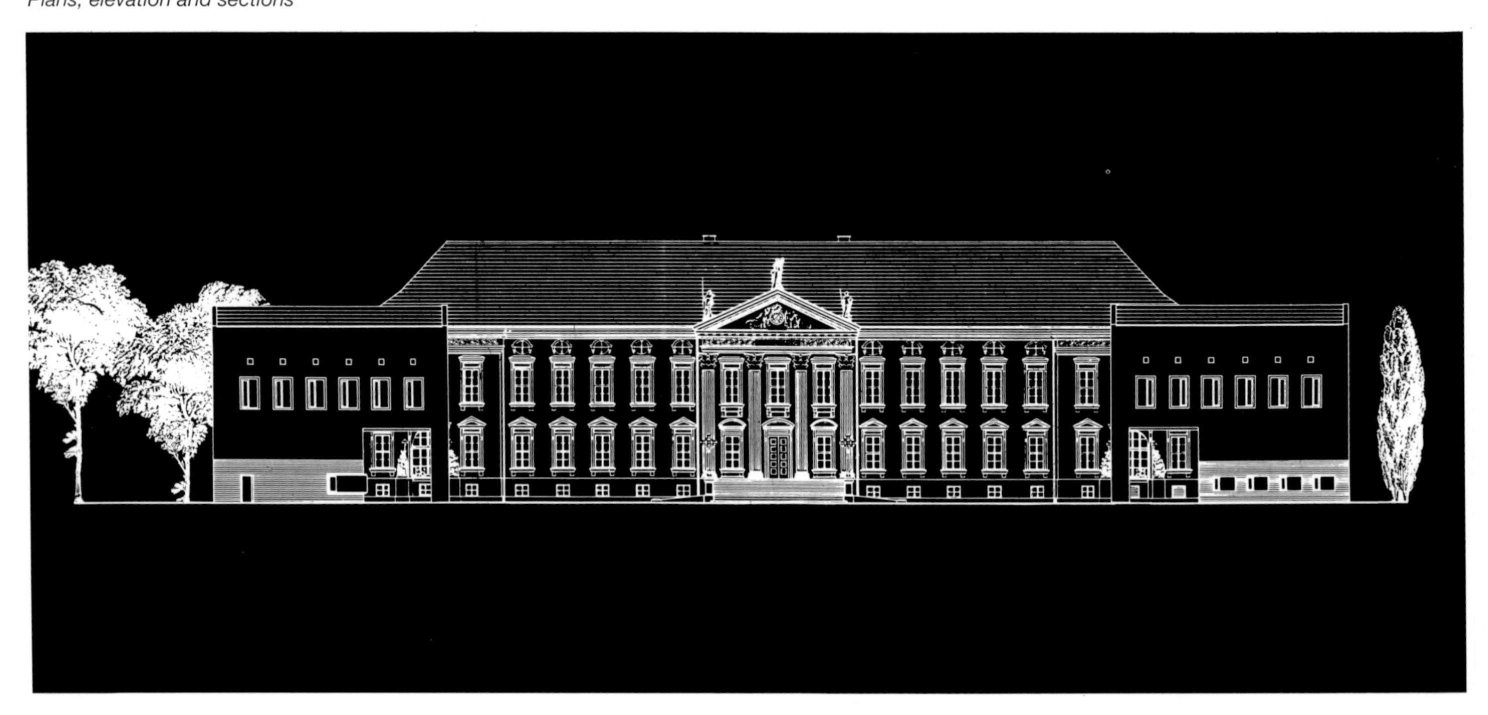

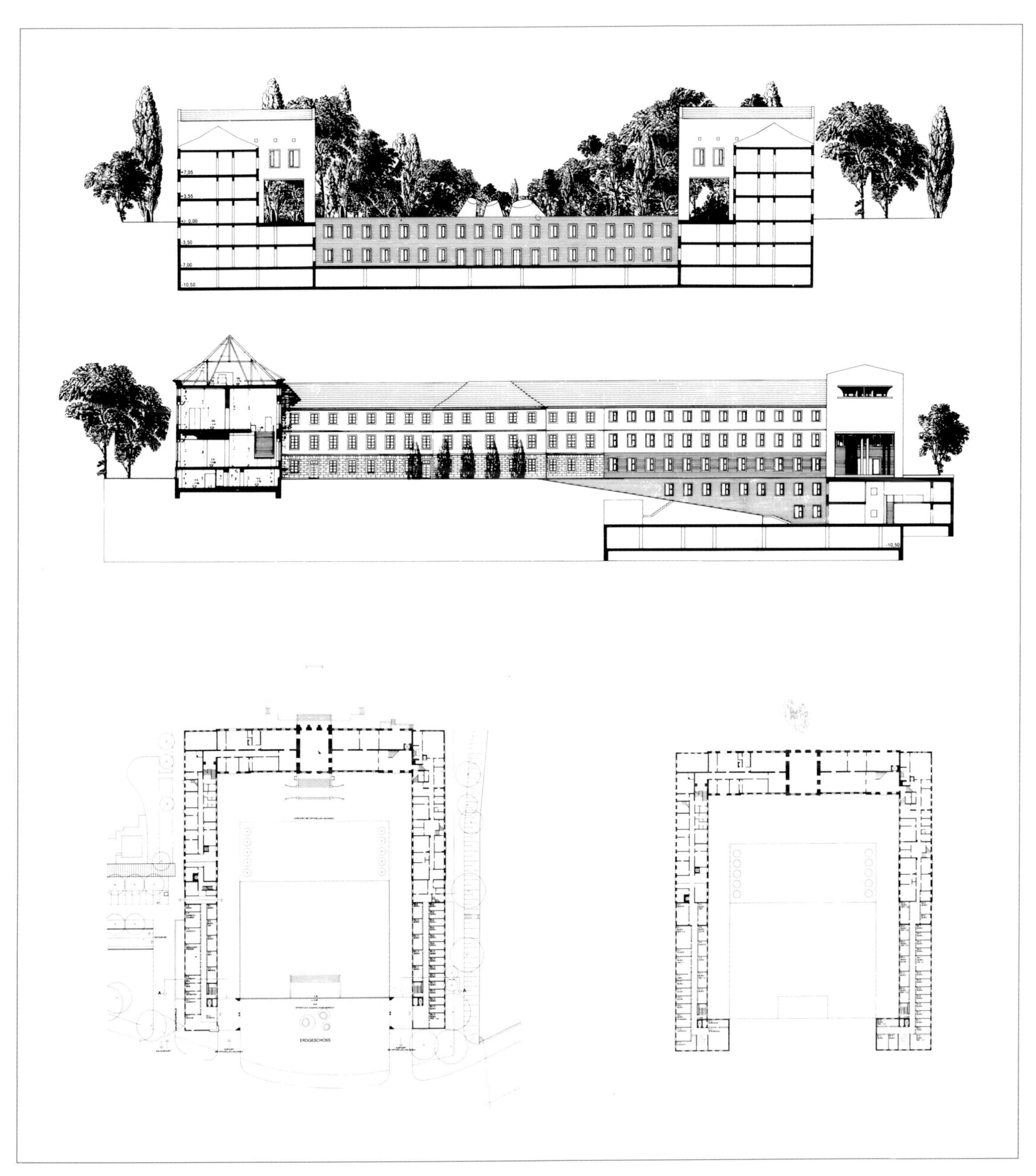
+7,05
+3,55
+/- 0,00
-3,50
-7,00
-10,50
-10,50
ERDGESCHOSS

1994

Emplazamiento, planta, alzado y perspectiva de la propuesta

Site plan, plan, elevation and perspective of the proposal

Cancillería Federal, República Federal de Alemania, Berlín, concurso

Por su condición de sede de la jefatura del gobierno de un estado con cincuenta años de democracia, después de la catástrofe del III Reich; de un estado cuya industria ocupa un lugar puntero en el mundo, la nueva Cancillería debe expresar el afán de encabezar y defender el sistema democrático. En vez de encogerse humildemente como hicieran anteriores edificios gubernamentales o de limitarse en sí mismos a un neto funcionalismo, el deber de este edificio es erigirse con orgullo y afirmar su presencia.

Federal Chancellery, competition, Berlin, Federal Republic of Germany

As the seat for the head of government of a state which can look back on almost fifty years of democracy following the catastrophe of the Third Reich, a state whose industry ranks as one of the most advanced in the world, the new Chancellery must express a will to leader-ship as well as to the defense of democratic system. Instead of crouching in humility like the previous government buildings in Bonn, or limiting itself to pure functionalism, this building has an obligation to stand up proudly and assert its presence.

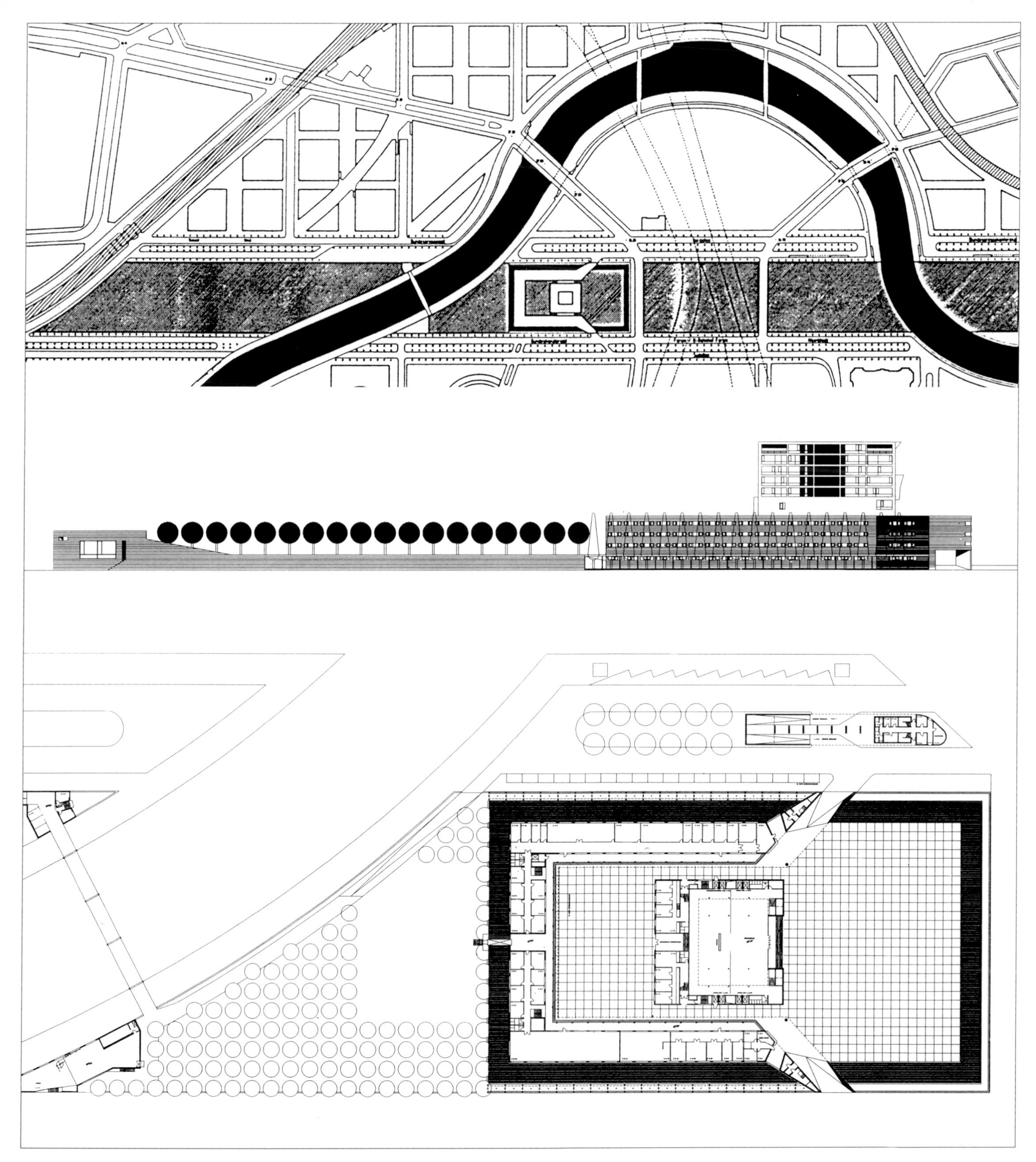

1994-1995

Centro de enseñanza secundaria, Berlín Köpernick

Los dos edificios construidos en los años 1983 y 1987 tienen en la construcción de obra vista un complemento funcional que además realza su carácter arquitectónico.

El muro de fábrica de ladrillo que ciñe el terreno y el "muro verde" que levantan los álamos en torno a la escuela y el pabellón deportivo, delimitan un espacio viario nuevo en lo que actualmente es un paisaje de desolación urbanística.

Secondary School, Berlin Köpernick

Two school buildings, erected in 1983 and 1987 respectively, are functionally supplemented with a brick building which simultaneously serves to enhance their architectural character.

A brick wall enclosing the site and a "green wall" of tall poplar trees surrounding the school building and the sports hall, thus defining the new street space in what is today a desolate urbanistic situation.

Plantas, alzados y perspectiva de la propuesta

Plans, elevations and perspective of the proposal

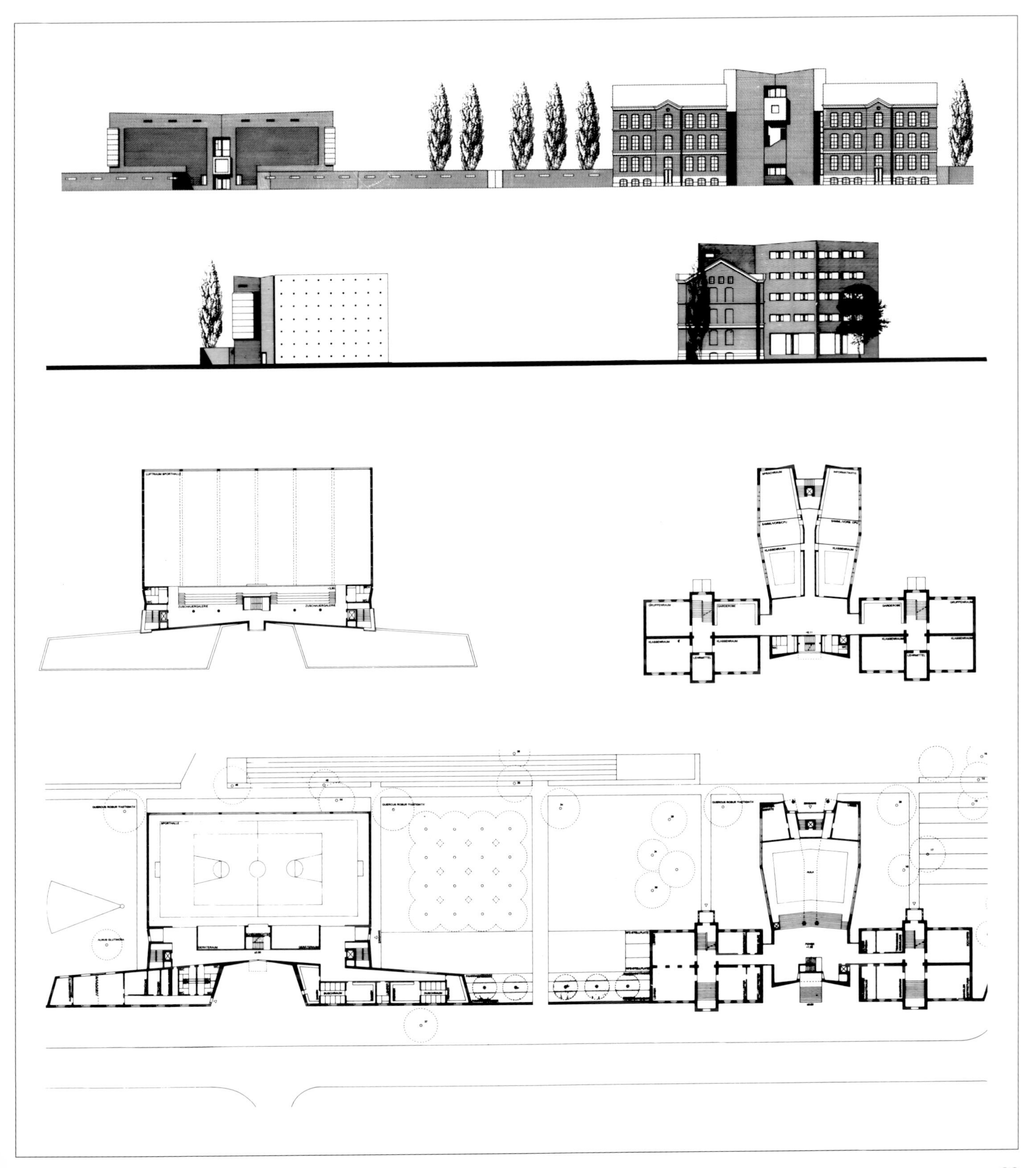

Biografía

Christoph Mäckler, nacido en Frankfurt am Main en 1951, estudió arquitectura en las universidades de Darmstadt y Aquisgrán y trabajó de 1976 a 1978 con O. M. Ungers y Gottfried Böhm.

Fue galardonado en Berlin con el codiciado Premio Schinkel en 1979.

En 1980, ya en posesión del título, abrió despacho propio en su ciudad natal para dedicarse a la arquitectura y el urbanismo; tres años más tarde fue nombrado por el ayuntamiento de la misma, miembro de la Consejería de Diseño Urbano.

Ha impartido clases en Kassel, Braunschweig y en la Academia Internacional de Verano de Castel Sant' Elmo de Nápoles (Italia).

Con la exposición, en 1987, de su "Proyecto Frankfurt" en el Architekturmuseum, quiso incidir sobre algunas carencias arquitectónicas y urbanísticas que padecía la ciudad.

En 1991 fue elegido para participar en la Bienal de Venecia.

Actualmente reparte su actividad profesional entre Frankfurt am Main y Berlín.

Biography

Christoph Mäckler was born in Frankfurt/Main in 1951 and studied architecture at the Universities of Darmstadt and Aachen before going on to work in the firms of O.M. Ungers und Gottfried Böhm from 1976 to 1978.

He won the coveted Schinkel prize in Berlin in 1979.

After being awarded his diploma in 1980 he established his own practice in the fields of architecture and urban planning in Frankfurt/Main in 1981. He was appointed to the urban design Advisory Board of the city of Frankfurt in 1983.

Christoph Mäckler has taught at Kassel and Braunschweig and also at the International Summer Academy at Castel Sant'Elmo in Naples (Italy).

With his exhibition of the "Frankfurt-Project" at the Deutsche Architecturmuseum in 1987, he called attention to a number of urbanist and architectural deficits in the city of Frankfurt.

In 1991 he was chosen to participate in the architecture Biennale in Venice (Italy).

Christoph Mäckler divides his time Frankfurt/Main and Berlin.

Exposiciones/*Exhibitions*

1981 "Vergangenheit, Gegenwart, Zukunft"
Kunstverein Stuttgart

1985 "Die Verloren gegangene moderne"
Kunstverein Karlsruhe
"Bauen Heute"
Deutsches Architekturmuseum, Frankfurt am Main
"City of Frankfurt, New building in a historic context"
Wanderausstellung, USA

1986 "New German architecture"
Wanderausstellung Südamerika
"Beispiele einer neuen Architektur"
Deutsches Architekturmuseum, Frankfurt am Main
Internationale Bauausstellung Berlin, IBA

1987 "Bauten und Projekte 1985–1986"
Galerie Aedes, Berlin
"Frankfurt Projekt"
Deutsches Architekturmuseum, Frankfurt am Main

1988 "Berlin Denkmal oder denkmodell"
Kunsthalle Berlin

1989 "Städtebauliche entwürfe für den aufbruch
in das 21. Jahrhundert"
Pavillon d'Arsenal, Paris

1991 "Architekturklasse Christoph Mäckler
Technische Universität Braunschweig"
Galerie Aedes, Berlin
"Deutsche Architektur der Gegenwart"
V. Internationale Architektur Biennale, Venedig

1994 "FFM 1200 –Traditionen und perspektiven einer stadt"
Ausstellung der stadt Frankfurt am Main zur
1200 Hahresfeier

Activad docente/*Teaching activity*

1987–1989 Gastdozent gesamthochschule Kassel

1990 Seminaro internationale di progettazione
Castel Sant'Elmo, Napoli
Gastprofessor tu braunschweig

1991 Seminaro internationale di progettazione
Castel Sant'Elmo, Napoli

1994 VI. Seminario internazionale di progettazione
"Napoli architettura e citta"

Premios/*Awards*

1979 Schinkelpreis

1993 Auszeichnung vorbildlicher bauten im bereich
des wohnens im lande Hessen
Martin Elsaesser plakette (anerkennung)

Cronología de obras y proyectos

1981 Vivienda unifamiliar en el cruce Saalgasse/Römerberg, Frankfurt am Main

1982 Unidad de primeros auxilios del hospital St. Katharinen, Frankfurt am Main

1984 Guardería infantil Sossenheim, Frankfurt am Main

1985 Ampliación del despacho de un agente de bolsa, Düsseldorf
Informe de un edificio de oficinas para la Compañía Alemana de ferrocarriles, en el marco del IBA, Berlín

1986 Residencia de los diplomáticos de Alemania Federal en la antigua RDA

1987 Ampliación del Instituto Municipal de Arte, Frankfurt am Main (concurso)

1988 Vivienda unifamiliar, Kronberg im Taunus

1989 Estaciones al aire libre de la línea C del metro de Frankfurt am Main

1990 Central rectificadora y depósito central para los museos de Frankfurt am Main
Informe sobre el centro oriental de oficinas, Frankfurt am Main

1991 Reforma de un edificio de oficinas en la Goethestrasse, Frankfurt am Main
Rehabilitación de un rascacielos de oficinas (IBM), Frankfurt am Main
Rehabilitación del edificio "Sinclair", Bad Homburg
Informe urbanístico sobre el puerto occidental de Frankfurt am Main

1992 Ampliación de una vivienda unifamiliar, Lago Constanza
Mirador, Frankfurt am Main
Puerto oriental de Frankfurt – Vivir y trabajar junto al río
Edificio central de la sociedad "Treuhand–Gesellschaft AG", Berlín

Chronology of works and projects

1981 Private house at the junction of Saalgasse and Römerberg, Frankfurt-am-Main

1982 Accident and emergency unit for the St. Katharinen hospital, Frankfurt-am-Main

1984 Kindergarten, Sossenheim, Frankfurt-am-Main

1985 Office extension for a stockbroker, Düsseldorf
Study for an office building for the German state rail company within the IBA, Berlin

1986 Residence for Federal German diplomats in the former GDR

1987 Extension to the Municipal Institute of Art, Frankfurt-am-Main, competition project

1988 Private house, Kronberg im Taunus

1989 Overground stations for Line C of the underground railway, Frankfurt-am-Main

1990 Transformer and central depot for the museums of Frankfurt-am-Main
Study for the eastern office centre, Frankfurt-am-Main

1991 Reform of an office buiding in Goethestrasse, Frankfurt-am-Main
Rehabilitation of an office tower block (IBM), Frankfurt-am-Main
Rehabilitation of the Sinclair building, Bad Homburg
Planning study for the eastern port area, Frankfurt-am-Main

1992 Extension to a private house, Lake Constance
Belvedere, Frankfurt-am-Main
Eastern port area, Frankfurt-am-Main – Living and working by the river
Headquarters for the Treuhand-Gesellschaft AG company, Berlin
Central depot for the municipal rubbish collection service, Frankfurt-am-Main. Competition project

Almacenes centrales del servicio municipal de recogida de basuras, Frankfurt am Main (concurso)

1993 Terminal 1, aeropuerto de Frankfurt am Main en colaboración con Jo. Franzke, Arqto., Frankfurt am Main
Nueva sede del Centro cultural y de negocios franco–alemán, Lindencorso, Berlín
Centro de enseñanza secundaria de Hellersdorf, Berlín (concurso)

1994 Gabinete del Presidente federal en el Castillo Bellevue, Berlín (concurso)
Caja de ahorros Nassauische Sparkasse, Wiesbaden
Gabinete del canciller federal, Berlín (concurso)
Anexo para el parlamento federal "Alsenblock", Berlín (concurso)
Escuela profesional Glienicker Strasse, Berlin (concurso)
Plaza Pariser, Berlín–Mitte (concurso)

1993 Terminal 1, Frankfurt-am-Main airport, in collaboration with Jo Franzke, architect, Frankfurt-am-Main
New headquarters for the Franco-German cultural and business centre, Lindencorso, Berlin
Hellersdorf middle school, Berlin. Competition project

1994 Office for the Federal president in the Bellevue Schloss castle, Berlin. Competition project
Nassauische Sparkasse savings bank, Wiesbaden
Office for the Federal Chancellor, Berlin. Competition project
Alsenblock annex for the Federal parliament, Berlin. Competition project
Technical training school in Glienicker Strasse, Berlin. Competition project
Pariser Platz, Berlin-Mitte. Competition project

Bibliografía/*Bibliography*

1977 "Die Zeichensprache eines städtischen fensters" en *Bauwelt* 42/43, Bertelsmann Verlag, Berlin.

1979 "Schinkelpreis" en *Baukultur*, Verlag Wiederspahn, Wiesbaden.
"Individuelles Wohnen mit Kollektiven Möglichkeiten" en *Bauwelt* 21, Bertelsmann Verlag, Berlin.

1981 "Ein Tor Zu Frankfurt" en *Jahrbuch Für Architektur,* Vieweg Verlag, Berlin.
Frank Werner, *Die Vergeudete Moderne,* Dva, Stuttgart.

1982 "Zeitgenössische kunst und architektur" en *Kunstverein Stuttgart*, Stuttgart.
"Una porta verso la citta" en *Casabella* 4, Electa, Milano.
"Hauss Saalgasse" en *Jahrbuch für architektur,*Vieweg Verlag, Berlin.

1984 "Das Neue Frankfurt 1" en *Jahrbuch für architektur,* Vieweg Verlag, Berlin.
"Frankfurter Brücken" en *Jahrbuch für architektur,* Vieweg Verlag, Berlin.

1985 "Bauen Heute" en *Deutsches architekturmuseum,* Ernst Klett Verlag, Stuttgart.
Frank Werner, "Klassizismen und klassiker" en *Badischer kunstverein,* Karlsruhe.

1986 "Internationale bauausstellung Berlin 1987" en *Deutsches architekturmuseum* Ernst Klett Verlag, Stuttgart.
"Arquitetura contemporanea Alemana" en *Cadernos brasileiros de arquitetura,* vol. 17.
"Frankfurt stadt der tore und türme" en *Arch + 86,* Aachen.
"Vision und revision der moderne?" en *Wolkenkratzer Art Journal* 4, Wolkenkratzer Verlag, Frankfurt am Main.
"Arch under 35" en *La citta e il fiume,* Electa, Firenze.

1987 "Das Pamphlet und die antworten" en *Baumeister 12,* Callwey Verlag, München.
"Gespräch mit Hans Paul Bahrdt, Magdalena Droste, Hardt-Waltherr Hämer, Christoph Mäckler, Jochen Rahe, Helga Schmidt - Thomsen und Julius Posener" en *Werk un Zeit* 2.
Frankfurt-Projekt, Verlag Ernst & Sohn, Berlin.
"Frankfurt-Projekt" en *Bauwelt* 3 Bertelsmann Verlag, Berlin.
"Hochhäuser für Frankfurt" en *Baumeister 1*Callwey Verlag, München.
"Gratte-ciel a Francfort" en *Techniques & Architecture,* vol. 7, Paris.
"Unheimeliges für die stadt" en *Werk, Bauen & Wohnen* 3, Zürich.
"Proyecto Frankfurt" en *El croquis* 10, Madrid.
"Christoph Mäcklers Frankfurt Projekte" en *Wolkenkratzer art Journal, vol. 6,* Wolkenkratzer Verlag, Frankfurt am Main
Christoph Mäckler, Bauten und Projekte 1985-86, Aedes, Berlin.
Frankfurt-Projekt, Christoph Mäckler, Verlag Ernst & Sohn, Berlin.

1988 "Ca-Movies" en *Deutsche Bauzeitung 10,* DVA, Stuttgart.
Berlin, Denkmal oder Denkmodell, Aedes, Berlin.

1989 *París Architecture et utopie,* Aedes, Berlin.
"Bürozentrum ost" en *Airport Frankfurt am Main,* DVA Oktogon, Stuttgart.

1990 "Dienstgebäude der Bundesrepublik in Ostberlin" en *Bauwelt* 1, Bertelsmann Verlag, Berlin.
"Brücke Durch Mauer" en *Deutsche Bauzeitung* 6, DVA, Stuttgart.
"Stadt der Kinder" en *Deutsche Bauzeitung,* 2, DVA, Stuttgart.
"Kindertagesstätte Sossenheim" en *Bauwelt 23,* Bertelsmann Verlag, Berlin.
"Asilo a Francoforte-Sossenheim" en *Domus* 10, Milano
"Kleine Häuser, Traumhaus" en *Bauwelt* 38, Bertelsmann Verlag, Berlin.

Peter Cook, Rosie LLewelyn–Jones, *Neuer geist in der Architektur.* Wiese Verlag, Basel.(Versión castellana: *Nuevos lenguajes en la Arquitectura.* Editorial Gustavo Gili, S.A., Barcelona, 1991.)
Christoph Mäckler, Architekturklasse tu braunschweig, Aedes, Berlin.
"Kinderwelten, kindertagesstätte Frankfurt/Sosseheim" en *Baumeister 6,* Callwey Verlag, München.
Die Rematerialisierte Moderne. Deutsche Architektur der Gegenwart.V. Internationale Architektur Biennale, Venezia.

1992 "Modernes Märchen–Wohnhaus in Frankfurt" en *Deutsche Bauzeitung* 04, DVA, Stuttgart.
"Vivienda unifamiliar sobre una colina" en *Architectural Houses,* Ediciones Atrium, S.A., Barcelona.
"Wohnen und Arbeiten am Fluss" en *Projekt für den Osthafen Frankfurt am Main,* Deutsches Architekturmuseum, Oktagon Verlag, München.
"Neue Kindertagesstätten" en *Archigrad* 1, AFW Verlag, Frankfurt.

1993 "Christoph Mäckler - Altana a Francoforte" en *Domus* 4, Milano.
"Berliner Boulevard–Projekt Unter den Linden" en *Deutsche Bauzeitung 5,* DVA, Stuttgart.
"Stationsgebäude der U–Bahnlinie 7 in Frankfurt–Enkheim" en *Bauwelt* 37, Bertelsmann Verlag, Berlin.
"Deutsch–Französisches kultur- und Handelszentrum "Lindencorso", Berlin" en *Centrum–Jahrbuch Architektur und Stadt,* Vieweg Verlag, Berlin.
"Wohnen am fluss" en *Arch + 09,* Aachen.
Hohe Häuser–Hochhaus und stadtgestaltung. Gerd Hatje Verlag, Stuttgart.
"U–Bahn–Station Bergen–Enkheim" en *Jahrbuch für Architektur,* Prestel Verlag, München.

1994 "Umbau eines Dachgeschosses in Frankfurt" er *Deutsche Bauzeitung 1,* DVA, Stuttgart.
"Umbau Bürohaus "Arca" in Frankfurt/Main" en *Bauwelt* 7, Bertelsmann Verlag, Berlin.
"Bürohochhaus eschersheimer landstrasse, Frankfurt am Main" en *Baukultur* 5, Wiederspahn Verlag, Wiesbaden.
"Umbau Bürohaus Arca" en *Martin Elsaesser Auszeichnung Das Bauzentrum 2,* Verlag das Beispiel, Darmstadt.
"37 X Haus" en *Ausgezeichnet, BDA Hessen.* Verlag das Beispiel, Darmstadt.
"Renovation of an office building in Frankfurt am Main" en *Domus* 7, Milano.
"Steinerne Architektur" en *Bauwelt* 27, Bertelsmann Verlag, Berlin.
"Projekte für die zukunft" en *FFM 1200, Traditionen und Perspektiven einer Stadt.* Ausstellungskatalog 1200 jahre Frankfurt. Thorbecke Verlag, Sigmaringen.
"Bürohaus in Frankfurt am Main" en *Baumeister* 8, Callwey Verlag, München.
"Bürobau in Frankfurt" en *Deutsche Bauzeitung* DVA, Stuttgart.
"Gleichrichterwerk und Museumsdepot, Frankfurt am Main" en *Jahrbuch für Architektur,* Prestel–Verlag, München.
"Umbau Eines Bürohauses, Frankfurt am Main" en *Jahrbuch für Architektur,* Prestel–Verlag, München.
"Bloss Kein zufall - von dichte und selbstverständlichkeit in der Architektur" en *Architektur & Bau Forum* 166, Österreichischer Wirtschaftsverlag, Wien.
"Bürohochhaus, eschersheimer landstrasse" en *Archigrad* 4, Verlag AFW, Frankfurt am Main.
"Die Neue innestadt–zwischen Identität und Anonymität" en *Sprung in die moderne–Frankfurt am Main, die stadt der 50er Jahre,* Campus Verlag, Frankfurt am Main

Colaboradores desde 1985/*Collaborators since 1985*

Birgit Bahlmann–Henkel
Albert Beimler
Sergio Canton
Zlatka Damianova
Georg Düx
Nikolaus Elz
Jan Pieter Fraune
Beate Grimm
Birgit Jaehne
Benedikt Jakob
Julia Klein
Thomas Kuhn
Silke Lüdemann
Frank Marohn
Thomas Mayer
Eva Müller
Birgit Jung–Hagedorn
Hubert Nienhoff
Bärbel Schöneweiss
Stefanie Schmand
Karsten Standke
Dieter Steffan
Heike Trost
Joseph Viehten
Simone Walser
Susanne Widmer
Ralf Zander

Secretaría/*Secretary*

Ramona Frühwacht–Schäfer
Nicole Theis

Dibujos con ordenador/*Computer Graphics*

Zlatka Damianova

Fotógrafos/*Photographers*

Artwerk–Studio für Fotodesign, Hild und Ondruch
Foto–Design Waltraud Krase
Architekturphoto Dieter Leistner
Zlatka Damianova
Dieter Steffan

Maquetas/*Models*

Architektur–Modell–Design Hans–Heinz Frickel, Frankfurt
Dieter Steffan
Modell Architektur Design, Frankfurt

Maquetación/*Layout*

Zlatka Damianova
Nikolaus Elz
Stefanie Schmand